S0-BJS-449

Michael Walzer

KRITIK UND GEMEINSINN

Drei Wege der Gesellschaftskritik

Aus dem Amerikanischen
und mit einem Nachwort
von Otto Kallscheuer

Rotbuch Verlag

Für J. B. W.

1. Auflage 1990

Die Originalausgabe erschien unter dem Titel
Interpretation and Social Criticism
bei Harvard University Press Cambridge, Mass. – London, UK

Umschlaggestaltung: Michaela Booth
Gesamtherstellung: Wagner GmbH, Nördlingen
Printed in Germany.
ISBN 3 88022 754 3

Inhalt

Vorwort

Mein Ziel in diesem Buch ist es, einen philosophischen Rahmen für das Verständnis von Gesellschaftskritik als einer gesellschaftlichen Praxis zu liefern. Was eigentlich tun Gesellschaftskritiker? Und wie gehen sie dabei vor? Woher kommen ihre Prinzipien? Und wie stellen Kritiker die Distanz her, die sie von den Menschen und Institutionen trennt, die sie kritisieren?

In diesem Buch versuche ich, die These zu begründen, daß Gesellschaftskritik am sinnvollsten als kritische Interpretation zu verstehen ist. Diese Auffassung weist Parallelen auf zu Argumentationen, wie sie in jüngster Zeit auch von europäischen Philosophen vertreten wurden. Ich habe jedoch versucht, meinen eigenen Weg zu finden – in meiner eigenen Sprache, ohne direkte Bezugnahme auf ihre Arbeiten. Ich hoffe allerdings, bald ein ausführlicheres Buch zu veröffentlichen, das sich mit der Praxis von Gesellschaftskritik im zwanzigsten Jahrhundert befassen soll – ein sehr viel ausdrücklicher politisches Buch, für das dieses hier eine theoretische Vorarbeit darstellt. Ich werde dort auch die Gelegenheit wahrnehmen, auf die ebenso politische wie philosophische Frage einzugehen, ob Gesellschaftskritik ohne »kritische Theorie« möglich ist.*

Die ersten beiden Kapitel habe ich an der Harvard University als Vorlesungen im Rahmen der Tanner Lectures on Human Values am 13. und 14. November 1984 gehalten. Sie werden hier veröffentlicht, mit freundlicher Erlaubnis der Trustees of the Tanner Lectures on Human Values. Das dritte Kapitel habe ich am 15. November in Harvard Hillel vorgetragen. Alle drei Kapitel wurden ungefähr zur selben Zeit verfaßt, sie verwenden dasselbe Vokabular und versuchen, dieselbe Auffassung zu begründen. Sie gehören also zusammen; und das letzte liefert nach, was den beiden ersten größtenteils fehlt: einen gewissen Grad historischer Konkretion und Bestimmtheit.

Ich danke den zahlreichen Kollegen der Harvard University, die – allesamt selbst Kritiker – meinen Vorlesungen folgten und mir erklärten, wo ich falsch gelegen habe. Meine Überarbeitungen versuchen, ihren Kritiken Rechnung zu tragen – insbesondere der Kritik von Martha Minow, Michael Sandel, Thomas Scanlon, Judith Shklar und Lloyd Weinreb –, wenngleich sie sie höchstwahrscheinlich nur unklar und unvollständig berücksichtigen. Das Kapitel »Der Prophet als Gesellschaftskritiker« wurde in einer früheren Fassung auf einem Symposium über Prophetie an der Drew University vorgetragen und samt einer hilfreichen Replik von Henry French im *Drew Gateway* veröffentlicht. Am Institute for Advanced Studies haben eine Reihe von Kollegen die schriftliche Version der Vorlesungen gegengelesen und mir ihre Kritikpunkte detailliert erläutert: Clifford Geertz, Don Herzog, Michael Rustin und Alan Wertheimer. Die endgültige Fassung hat ihnen viel zu verdanken, ohne daß sie für ihre Mängel verantwortlich wären.

* Mittlerweile ist dieses Buch erschienen. Siehe: Michael Walzer, *The Company of Critics. Social Criticism and Political Commitment in the Twentieth Century,* New York 1988 (A. d. Ü.)

I
DREI WEGE IN DER MORALPHILOSOPHIE

Drei Wege in der Moralphilosophie

Auch wenn der Titel dieses Kapitels es nahelegen könnte, werde ich im folgenden nicht behaupten, es gebe drei und nur drei Wege, Moralphilosophie zu veranstalten. Meine Absicht besteht nämlich nicht darin, eine vollständige Liste möglicher Moralphilosophien vorzuschlagen. Ich will vielmehr nur drei weitverbreitete und wichtige Zugangsweisen zum Thema näher betrachten. Ich nenne sie den Pfad der Entdeckung, den Pfad der Erfindung und den Pfad der Interpretation. Letzteren will ich als denjenigen der drei Pfade beschreiben, der mit unserer Alltagserfahrung von Moral am besten zusammenstimmt. Im folgenden Kapitel werde ich dann die Interpretation gegen den Vorwurf verteidigen, sie fessele uns unwiderruflich an den *status quo* – schließlich können wir ja nur interpretieren, was es bereits gibt – und unterminiere damit die Möglichkeit von Gesellschaftskritik selbst.

Da Kritik einen Grundzug jeder Alltagsmoral darstellt, hat ein derartiger Vorwurf zwei Seiten: Er behauptet nicht nur, Interpretation sei ein schlechtes Programm für moralische Einstellungen, sondern auch, sie trage der tatsächlichen moralischen Erfahrung nur unzureichend Rechnung. Interpretation sei, wie die Vertreter der Anklage sagen, somit eine weder normativ noch deskriptiv korrekte Auffassung moralischen Argumentierens. Gegen beide Seiten dieses Vorwurfs werde ich Gründe vorbringen – in diesem Kapitel mehr auf dem Wege theoretischer Verdeutlichung, im folgenden mehr anhand praktischer Beispiele; hier mehr den Akzent auf die Beschreibung moralischer Erfahrung legend, dort mehr auf das moralische Programm –, ohne mich jedoch an diese vereinfachte und vermutlich irreführende Trennung von Theorie und Praxis zu fesseln. Im letzten Kapitel werden dann theoretische Beschreibung und programmatische Bestimmung in einer ausführlichen historischen Analyse zusammengeführt: Ich will dort am Beispiel der biblischen Prophetie darstellen, wie die Gesellschaftskritik auf dem Pfad der Interpretation vorgeht.

Den Pfad der Entdeckung kennen wir zunächst und am

besten aus der Religionsgeschichte. Sicher hat hier die Entdeckung auf die Offenbarung zu warten; aber irgend jemand muß auf den Berg steigen, sich in die Wüste zurückziehen, dort dem offenbarenden Gott begegnen und uns bei der Rückkehr Sein Wort bringen. Diese Person ist dann für den Rest von uns Menschen der Entdecker des Moralgesetzes: Indem Gott es ihm offenbart, offenbart Er es uns. Wie die natürliche Welt – wie das Leben selbst – ist auch die Moral eine Schöpfung, aber nicht wir sind ihre Schöpfer. Gott hat sie erschaffen, und erst mit Seiner Hilfe und der Hilfe Seiner Diener erhalten wir Kenntnis von ihr, um sie dann in ihrer Weisheit zu bewundern und zu studieren. Religiöse Moral nimmt in der Regel die Gestalt eines geschriebenen Textes an, einer Heiligen Schrift – und diese erfordert dann Interpretation. Doch zunächst erfahren wir die neue Moral über das Medium der Entdeckung. Die moralische Welt ist wie ein neuer Kontinent. Und der religiöse Führer (Gottes Diener) ist wie ein Entdecker, der uns die Frohe Botschaft von der Existenz dieses Kontinents und die erste Karte von seiner Gestalt und Ausdehnung überbringt.

Einen charakteristischen Grundzug dieser Karte sollte ich sofort deutlich machen. Die moralische Welt ist nicht nur eine Schöpfung Gottes; sie besteht auch aus göttlichen Geboten. Was uns die Offenbarung mitteilt, ist eine Reihe von Dekreten: dieses sollst du tun! jenes darfst du nicht tun! Und diese Gebote sind kritischer Natur, und zwar von Anbeginn an kritisch. Es wäre schließlich keine sonderliche Offenbarung, wenn Gott uns das zu tun und jenes zu unterlassen geböte, was wir bereits tun und lassen. Eine Offenbarungsmoral wird immer in scharfem Gegensatz zu unseren überlieferten Vorstellungen und Praktiken stehen. Das mag sehr wohl ihr Hauptvorzug sein. Doch dieser Vorzug ist notwendigerweise nur kurzlebiger Natur. Sobald nämlich die Offenbarung einmal angenommen und die neue moralische Welt besiedelt worden ist, hat sie ihre kritische Spitze verloren. Nunmehr regeln Gottes Gebote unser alltägliches Verhalten – jedenfalls nehmen wir dies für uns in Anspruch; wir sind jetzt so, wie Er will, daß wir sein sollen.

Natürlich kann jede einmal entdeckte Moral stets von neuem wiederentdeckt werden. Der Anspruch, eine längst verlorene oder korrumpierte Lehre wiedergefunden zu haben, macht die Grundlage jeder religiösen und moralischen *Re*formation aus. Aber Gott ist uns heute nicht mehr in derselben Art und Weise gegenwärtig wie zu Beginn. Die *Wieder*entdeckung wartet nicht mehr auf die Offenbarung; sie ist unser eigenes Werk, und wir gehen dabei vor wie Archäologen: Wir müssen das, was wir ausgraben, selbst interpretieren. Dem wiederentdeckten Moralgesetz mangelt es an jener leuchtenden Klarheit, die sein erstes Kommen kennzeichnete.

Ich verstehe diese knappe Bestandsaufnahme der religiösen Moral als Vorspiel zu einer anderen, weitaus weltlicheren Geschichte. Denn es gibt ebenso natürliche wie göttliche Offenbarungen, und ein Philosoph, der uns von der Existenz beispielsweise des natürlichen Moralgesetzes, von Naturrechten oder von irgendwelchen sonstigen objektiven moralischen Wahrheiten berichtet, hat den Pfad der Entdeckung betreten. Vielleicht beschritt er ihn als eine Art moralischer Anthropologe, indem er in der Wirklichkeit nach natürlichen Wahrheiten Ausschau hielt. Wahrscheinlicher für die übliche Form der philosophischen Untersuchung dürfte jedoch sein, daß seine Suche nach innen geht, daß sie geistiger Natur ist und daß sie Abstand und Reflexion erfordert. Die moralische Welt kommt ins Blickfeld, wenn der Philosoph im Geiste von seiner gesellschaftlichen Position zurücktritt. Er reißt sich los von seinen Sonderinteressen und Kirchturmloyalitäten; er verläßt seinen eigenen Standpunkt und blickt – wie es Thomas Nagel formuliert hat[1] – »von keinem bestimmten Standpunkt« aus auf die Welt. Das Unterfangen des Philosophen ist somit nicht minder heroischer Natur als der Aufstieg des Religionsstifters auf den Berg oder sein Rückzug in die Wüste.

»Kein bestimmter Standpunkt« liegt irgendwo auf dem Wege zu Gottes Standpunkt; und was der Philosoph von dort aus erblicken kann, das sind so etwas wie objektive Werte. Wenn ich die philosophische Beweisführung recht verstehe, sieht er von dieser Warte sich selbst und alle anderen – und zwar sich selbst ohne Unterschied zu allen anderen; und er erkennt die Moralprinzipien, die die Verhältnisse zwischen solcherart Geschöpfen notwendigerweise regeln.

Diese Notwendigkeit ist natürlich eine moralische und keine bereits praktisch wirksame Notwendigkeit – sonst brauchten wir ja nicht von unserem Sonderstandpunkt zurückzutreten, um sie entdecken zu können. Daher sind auch hier die entdeckten Moralprinzipien kritische Prinzipien; sie stehen in einer gewissen Distanz zu unseren Kirchturmpraktiken und -auffassungen. Und sobald wir sie entdeckt haben – oder: sobald sie uns kundgetan worden sind –, sollten wir sie in unser tagtägliches moralisches Leben umsetzen. Ich muß allerdings gestehen, daß ich in diese weltliche Entdeckung ein geringeres Zutrauen hege als in die frühere religiöse Entdekkung.

In den meisten Fällen verfügen wir nämlich bereits über die moralischen Grundsätze, die uns die Philosophen mitteilen; sie sind uns zumeist seit langem vertraut und gut abgegriffen. In der Regel ermangelt die philosophische Entdeckung jener radikalen Neuheit und scharfen Absonderung, die die göttliche Offenbarung auszeichnet. Darstellungen des natürlichen Moralgesetzes oder von Naturrechten klingen selten wie Beschreibungen einer moralisch Neuen Welt. Nehmen wir das objektive Moralprinzip, das Thomas Nagel[2] entdeckt hat: daß wir dem Leiden anderer Menschen gegenüber nicht gleichgültig sein dürfen. Ich erkenne diesen Grundsatz an, allein mir fehlt die Erschütterung, die aus der Offenbarung rührt. Denn: diesen Grundsatz kannte ich bereits vorher. Was bei derartigen ›Entdeckungen‹ vor sich geht, ist eher eine Art Freilegung[3] moralischer Prinzipien – dergestalt, daß wir diese nun zwar nicht zum ersten Male, jedoch in neuer Frische erblicken können, befreit von verkrusteten Interessen und Vorurteilen. Wenn man sie dann in dieser Reinheit betrachtet, dann mögen diese Grundsätze sehr wohl wie objektive Prinzipien ausschauen; wir »kennen« sie schließlich auf ziemlich ähnliche Weise, wie religiöse Männer und Frauen das göttliche Gesetz kennen. Es gibt sie gewissermaßen *dort* – in der moralischen Welt – und sie warten darauf, in Kraft gesetzt zu werden. Aber es gibt sie dort nur, weil sie bereits *hier* als Züge unseres alltäglichen Lebensvollzugs Wirklichkeit sind.

Ich will damit die Erfahrung, daß wir aus unserer konkreten Wirklichkeit ›zurücktreten‹ können, nicht bestreiten – wenngleich ich Zweifel daran hege, daß wir uns jemals völlig vom Hier zum *Nirgend*wo ›zurückziehen‹ könnten. Doch auch wenn wir die Welt von *irgend*einem anderen Standpunkt betrachten, so haben wir immer noch die Welt im Blick. Wir betrachten in der Tat eine bestimmte Welt; und wir mögen sie nun in einem neuen, besonders klaren Lichte sehen – aber wir werden nichts auf ihr entdecken können, was nicht bereits *da* wäre. Vielleicht ist dies eine allgemeine Wahrheit für alle weltlichen (Moral-)Entdeckungen; und wenn das der Fall wäre, so ließe sie uns ermessen, was wir verlieren, wenn wir unseren Glauben an Gott verlieren.

Doch der Philosoph, den ich unterstellt habe, ist jemand, der danach strebt, eben die moralische Wirklichkeit klarer zu erfassen – und sei es nur in ihrem abstrakten Grundriß –, die er tagtäglich vor Augen hat. Man kann nun im Gegenteil auch diese Wirklichkeit selbst in Frage stellen und sich statt dessen auf die Suche nach einer tieferen Wahrheit machen – wie ein Naturwissenschaftler, der ins Innere des Atoms eindringt. Die ›Utilitarismus‹ genannte Moralphilosophie, die auf der grundlegendsten Wahrheit über menschliches Begehren und menschliche Abneigung beruht, wurde wahrscheinlich auf diese Art und Weise entdeckt. Der Utilitarismus, dessen Ursprünge ohne Gott auskommen und der in seinen Schlußfolgerungen zu völlig ungewohnten Ergebnissen kommt, macht deutlich, wohin die Imitation der Naturwissenschaften in der Moralphilosophie führt. Jeremy Bentham war offenkundig der Meinung, eine Reihe objektiver Moralprinzipien entdeckt zu haben; und die Anwendungen dieser Prinzipien sind allzu oft überhaupt nicht mehr als Merkmale des alltäglichen Lebens (wieder)zuerkennen.[4] Von dieser Fremdheit ihrer eigenen Schlußfolgerungen erschreckt, feilen die meisten utilitaristischen Philosophen so lange an ihrem ›Glückskalkül‹[5] herum, bis es zu Ergebnissen führt, die unseren allgemein geteilten Auffassungen näherkommen. Sie führen so die Ausnahme wieder an die Regel heran: ohne Vertrauen in die Offenbarung können wir nur entdecken, was wir bereits wissen. Die Philosophie ist ein Nachzügler[6], und sie bringt uns kein endzeitliches Verstehen, sondern nur die Weisheit der Eule, die in der Dämmerung ausfliegt. Es gibt allerdings noch folgende Alternative, die mir eher Schrecken bereitet als Vertrauen einflößt: die Weisheit des Adlers im Morgengrauen.

Viele Menschen werden sich, vielleicht aus guten Gründen, mit der Weisheit der Eule in der Dämmerung nicht zufriedengeben. Einige werden ihr die Objektivität bestreiten, trotz aller Bemühungen der nach dieser Weisheit suchenden Philosophen um Abstand; doch einen derartigen Einwand will ich nicht verteidigen. Eher bin ich geneigt, mit Thomas Nagels sardonischem Blick auf die Fragen des moralischen Skeptikers übereinzustimmen: Welchen möglichen Grund könnte ich haben, dem Leiden meines Nächsten *nicht* gleichgültig gegenüberzustehen? Welchen Grund könnte ich haben, auch nur ein kleines bißchen besorgt um ihn zu sein? Nagel schreibt dazu: »Als Ausdruck von Verwirrung zeugt (diese skeptische Frage) von jener charakteristischen philosophischen Verrücktheit, die anzeigt, daß irgend etwas Grundlegendes falsch gelaufen sein muß.«[7]

Gut, aber besorgniserregender als diese Verrücktheit ist

doch der Eindruck, daß es den von dieser oder jener gesunden Philosophie geoffenbarten Moralprinzipien an ebenjener besonderen Schärfe oder kritischen Kraft fehlt, die göttliche Offenbarung auszeichnet. »Sei nicht gleichgültig« ist schließlich nicht dasselbe wie »Liebe deinen Nächsten wie dich selbst«. Das letztere Gebot aber wird kaum jemals in der Liste philosophischer Entdeckungen auftauchen – und sei es nur deshalb, weil die Frage ›Warum sollte ich ihn *so sehr* lieben?‹ eben keine verrückte Frage darstellt. Das Prinzip der Nicht-Gleichgültigkeit oder, positiver ausgedrückt, das Prinzip einer minimalen (Mit)Betroffenheit (durch das Leiden von Mitmenschen) kann sehr wohl als kritischer Grundsatz begriffen werden, doch seine Stärke und Reichweite ist ungewiß. Um die Beziehung dieses Prinzips zur alltäglichen gesellschaftlichen Praxis herauszuarbeiten, müßte erst noch eine Menge von Zwischenschritten erarbeitet werden – und es ist fraglich, ob dies von einem Mann oder einer Frau geleistet werden könnte, deren Standpunkt sich im *Nirgend*wo oder auch nur *irgend*wo anders befindet.

Andererseits könnten sich Männer und Frauen, die auf »keinem bestimmten Standpunkt« stehen, auch daran machen, eine völlig Neue Welt der Moral zu konstruieren – womit sie dann eher Gottes Schöpfungsakt imitierten als die Entdeckungen Seiner Diener. Sie könnten sich zu diesem Unterfangen entweder entschließen, weil sie der Auffassung wären, es gebe derzeit keine real existierende moralische Welt (sei es, weil Gott tot ist, oder weil sich die Menschheit radikal von der Natur entfremdet hat, oder weil die Natur keinen moralischen Sinn kennt); oder sie könnten dies tun, weil sie die tatsächliche moralische Welt für unzureichend hielten oder der Meinung wären, unsere Erkenntnis dieser moralischen Welt könnte – als Erkenntnis – niemals kritisch genug sein. Wir könnten uns dieses philosophische Unterfangen in den Worten vorstellen, die Descartes findet, als er sein intellektuelles Projekt als Versuch beschreibt, »meine eigenen Gedanken zu reformieren und auf einem Grunde aufzubauen, der ganz in mir liegt«.[8] Ich vermute zwar, daß Descartes – »wie ein Mensch, der allein und im Dunkeln fortschreitet«[9] – in Wirklichkeit eine Forschungsreise auf der Suche nach der objektiven Wahrheit unternommen hat. Aber nach den Analogien, die ihm dabei in den Sinn kommen, gibt es keine objektive Wahrheit, die es zu entdecken gälte, und das Projekt hat einen ausdrücklich konstruktiven Charakter:

> »So meinte ich, daß die Völker, die aus dem ursprünglichen Zustande halber Wildheit sich nur allmählich zivilisiert und ihre Gesetze nur gemacht haben, je nachdem der Notstand der Verbrechen und Zwistigkeiten sie dazu gezwungen, nicht so gute Einrichtungen haben wie die, welche seit dem Beginne ihrer Vereinigung die Anordnung irgendeines weisen Gesetzgebers befolgt haben. Wie es denn auch ganz gewiß ist, daß die Verfassung der wahren Religion, die Gott allein angeordnet hat, unvergleichlich besser geregelt sein muß als die aller übrigen. Und um von menschlichen Dingen zu reden, so glaube ich, daß, wenn Sparta einst ein sehr blühender Staat war, dies nicht von der Trefflichkeit jedes einzelnen seiner Gesetze im besonderen herrührte, waren doch mehrere höchst seltsam und sogar den guten Sitten widersprechend, sondern daß es daher kam, daß seine Gesetze nur von einem einzigen erfunden und alle auf ein Ziel gerichtet waren.«[10]

Dies ist der Pfad der Erfindung; das Ziel des Weges besteht in der Moral, die wir zu erfinden hoffen. Das Ziel ist ein gemeinsames Leben, in dem Gerechtigkeit, politische Tugend, gutes Leben oder irgendein anderer solcher Grundwerte verwirklicht wäre.

Wir müssen also die moralische Welt unter folgender Vorbedingung entwerfen: daß es keinen vorgegebenen Entwurf *(design)*, keine göttliche oder natürliche Blaupause gibt, nach der wir uns richten könnten. Wie sollen wir da vorgehen? Wir brauchen eine Abhandlung über die Methode der Moralphilosophie; und die meisten Philosophen, die den Pfad der Erfindung beschritten haben, fingen mit einer Methodologie an: mit dem Entwurf eines Konstruktionsverfahrens.[11] (Die Existentialisten, die nicht auf diese Weise begonnen haben, sind beim Geschäft des Erfindens keine große Hilfe.) Das Grunderfordernis eines solchen Konstruktionsverfahrens (sc. zur Produktion moralischer Normen) liegt nun darin, daß es in einer Übereinstimmung aller Beteiligten münden soll. Daher ist die Arbeit von Descartes' einzigem »weisen Gesetzgeber« ziemlich riskant – es sei denn, er wäre eine repräsentative Gestalt, die irgendwie auch die ganze Spannbreite der Meinungen und Interessen um ihn herum verkörpert, die mit im Spiel sind. Wir können nicht den einfachen Ausweg wählen, den Gesetzgeber zu einem allmächtigen, rationalen und wohlwollenden Despoten zu machen; denn damit hätten wir einen Grundzug des fertigen Entwurfs *(design)* bereits festgelegt – die gerechte Machtverteilung –, bevor das Konstruktionsverfahren selbst überhaupt in Gang gesetzt wäre. Irgendwie muß der Gesetzgeber erst dazu autorisiert werden, für uns alle zu sprechen – oder aber: wir alle müssen von Anfang an dabei sein und im Verfahren zählen. Es ist in der Tat schwer vorstellbar, wie wir einen Vertreter, einen Generalbevollmächtigten für die Menschheit wählen könnten. Aber wenn wir diese Option der Repräsentation fahren lassen und uns statt dessen für die Alternative der Präsenz aller entscheiden, dann werden wir wahrscheinlich eher ein Durcheinander von Mißtönen erzeugen als Ordnung; und vom Ergebnis »möchte man sagen – wie Descartes schreibt[12] –, es sei mehr der Zufall als der Wille vernünftiger Menschen, der (es) so geordnet habe«.

Es gibt eine ganze Palette von Lösungen für dieses Problem; die bekannteste und eleganteste stammt von John Rawls.[13] Die Rawls'sche Lösung hat nämlich das nette Ergebnis, daß es keine Rolle mehr spielt, ob die Arbeit des Konstrukteurs oder Gesetzgebers von einer einzigen oder von vielen Personen unternommen wird. Denn da in dieser Theorie die potentiellen Gesetzgeber all ihres Wissens über ihre Position in der gesellschaftlichen Welt, über ihre Interessen, Werte, Fähigkeiten und Beziehungen beraubt worden sind,[14] sind sie auch – für die anstehenden praktischen Aufgaben – allesamt identisch. Es macht somit keinen Unterschied mehr, ob solche Leute dann (sc. hinter dem Schleier des Nichtwissens) miteinander reden oder ob einer von ihnen nur zu sich selbst spricht: es reicht völlig, wenn eine Person redet.

Andere Lösungsvorschläge (etwa der von Jürgen Habermas[15]) sind schwerfälliger; verlangen sie doch, daß wir uns tatsächliche Unterhaltungen vorstellen, aber nur unter Bedingungen, die sorgfältig so konstruiert sind, daß der Diskurs von vorneherein über die Niederungen ideologischer Konfrontation erhaben ist.[16] Die Teilnehmer am praktischen Diskurs müssen von den Fesseln des Partikularismus befreit werden, sonst werden sie nie das gewollte rationale Ergebnis produzieren: eine moralische Welt, die derart konstruiert ist, daß alle bereit sind, in ihr zu leben und sie für gerecht zu halten – welchen Platz auch immer sie in ihr einnehmen werden oder welche Pläne sie auch immer verfolgen mögen.

Wenn wir den Tod Gottes oder die moralische Sinnlosigkeit der Natur annehmen – und dies sind ja heutzutage keine besonders kontroversen Annahmen mehr –, so können wir von diesen Gesetzgebern sagen, daß sie diejenige moralische Welt erfinden, die existieren würde, wenn es auch ohne ihre Erfindung eine moralische Welt gäbe. Sie erschaffen das, was Gott geschaffen hätte, gäbe es einen Gott. Nun gibt es auch andere Arten und Weisen, den Pfad der Erfindung zu beschreiben. Descartes' spartanische Analogie legt eine andere Sicht nahe, die ich auch für die Rawls'sche Sicht halte: eine minimalistische Version des Erfindertums. Was Lykurg schuf, war nicht die beste aller Städte, also die Stadt, die Gott erschaffen hätte, sondern nur die für die Spartaner beste Stadt, also das Werk eines spartanischen Gottes.[17] Ich will auf diese Möglichkeit später noch zurückkommen. Zunächst aber muß ich den stärkeren Anspruch betrachten, daß die moralische

Welt, die wir hinter dem Schleier des Nichtwissens oder durch eine ideologisch unverzerrte Beratung erfinden, die einzige und universell bewohnbare Welt darstellt: eine Welt für alle Personen.

Die kritische Kraft einer erfundenen Moral gleicht eher derjenigen des göttlichen Gesetzes als einer philosophischen Entdeckung (oder: sie steht der Weisheit des Adlers näher als der der Eule). Rawls' Unterschiedsprinzip[18] etwa, um ein vieldiskutiertes Beispiel zu wählen, hat durchaus etwas vom Neuen und Charakteristischen der Offenbarung an sich. Niemand würde auf die Idee kommen, es für eine pure Verrücktheit zu halten. Wie das göttliche Gesetz seine Kraft von seinem Schöpfer bezieht, so bezieht das Unterschiedsprinzip seine Kraft aus dem Prozeß, in dem es geschaffen wurde. Wenn wir es akzeptieren, so deshalb, weil wir selbst an seiner Erfindung teilgenommen haben oder uns doch vorstellen können, dabei gewesen zu sein. Und wenn wir einen solchen Grundsatz erfinden, können wir natürlich auch nach Bedarf andere erfinden; oder wir können aus diesem Prinzip ein ganzes Regel- und Vorschriftensystem ableiten. Bruce Ackerman schafft es in seiner Diskussion der liberalen Gerechtigkeit[19], ein Feld von Themen zu behandeln, das in etwa den Bereich der Gesetzgebung der Bücher *Exodus* und *Deuteronomium*[20] abdeckt – wenngleich seine Verkündigung nicht eine bestimmte, sondern jede existierende und vorstellbare Nation betrifft. So erschaffen wir eine Moral, an der wir das Leben jeder Person und die Praktiken jeder Gesellschaft messen können.

Das bedeutet natürlich nicht, daß die Leben und Praktiken, die wir an dieser Moral messen, erst dann moralische Bedeutung erlangen, wenn wir sie so messen. Sie verkörpern bereits ihre eigenen Werte: Werte, die allerdings – wie dies die Philosophen der Erfindung annehmen müssen – durch ein radikal unzulängliches Konstruktionsverfahren verzerrt sind. Denn diese Werte wurden in Diskussionen, Beweisführungen und politischen Verhandlungen geschaffen, (sc. aber nicht unter den Bedingungen einer idealen Sprechsituation, sondern) über lange Zeitperioden hinweg sowie unter Bedingungen, die wir am besten gesellschaftliche nennen könnten.

Der entscheidende Punkt einer erfundenen Moral liegt darin, daß sie uns das liefert, was weder Gott noch die Natur für uns bereitgestellt haben: ein allgemeingültiges Korrektiv für alle verschiedenen gesellschaftlichen Moralen. Aber warum sollten wir uns dieser universalen Korrektur beugen? Worin genau liegt die kritische Kraft der Erfindung des Philosophen – wobei wir immer noch annehmen, diese sei die einzig mögliche Erfindung? Ich will versuchen, diese Fragen mit einer eigenen Geschichte zu beantworten, einer Geschichte, die einige Züge der Rawls'schen Darstellung dessen, was im ›Urzustand‹[21] geschieht, unterstreicht und übertreibt. Ich fürchte zwar, es ist eine Karikatur geworden und will mich gleich vorab dafür entschuldigen – aber auch Karikaturen können nützlich sein.[22]

Stellen wir uns also eine Gruppe von Reisenden vor, die aus verschiedenen Ländern mit unterschiedlichen moralischen Kulturen kommen, verschiedene Sprachen sprechen und sich in irgendeinem neutralen Raum (wie dem Weltraum) begegnen. Sie müssen, zumindest für eine gewisse Zeit, zusammenarbeiten, und wenn sie kooperieren wollen, so muß jede(r) von ihnen davon ablassen, auf seinen oder ihren Werten und Praktiken zu beharren. Wir berauben sie also der Kenntnis ihrer eigenen Werte und Handlungsweisen; und da diese Kenntnis nicht nur eine persönliche, sondern auch eine in Sprache verkörperte gesellschaftliche Erkenntnis ist, löschen wir ihr Sprachgedächtnis und verlangen von ihnen (für eine gewisse Zeit), in irgendeiner Pidgin-Sprache zu reden und zu denken, die gegenüber all ihren ursprünglichen Sprachen in gleicher Weise parasitär ist – eine Art perfekteres Esperanto. Welche Kooperationsprinzipien würden diese Reisenden übernehmen?

Ich werde dabei voraussetzen, daß es auf diese Frage eine einzige Antwort gibt und daß die dieser Antwort gemäßen Prinzipien ihr Zusammenleben in dem jetzt von ihnen bewohnten Raum regeln werden. Das scheint plausibel genug; das Konstruktionsverfahren (sc. zur Erfindung gemeinsamer Regeln) ist ausgesprochen brauchbar für alle anstehenden Probleme. Weniger plausibel wäre es allerdings, die Reisenden zu verpflichten, diese selben Prinzipien mitzunehmen, wenn sie wieder nach Hause fahren. Warum sollten neu erfundene Prinzipien das Leben von Menschen bestimmen, die bereits eine gemeinsame Moral und Kultur teilen und eine gemeinsame natürliche Sprache sprechen?

Männer und Frauen hinter einem Schleier des Nichtwissens, denen man alle Kenntnisse ihrer eigenen Lebensweise geraubt hat und die gezwungen sind, mit anderen ähnlich beraubten Männern und Frauen zusammenzuleben, werden vielleicht – unter welchen Schwierigkeiten auch immer – einen *modus vivendi* (er)finden: keine Lebensweise, sondern eine Überlebensweise.[23] Aber auch wenn diese der einzig mögliche *modus vivendi* für diese Leute unter solchen Bedingungen ist, so folgt daraus keinesfalls, daß sie auch eine allgemeingültige Regelung darstellt. (Sie könnte natürlich gleichwohl eine Art heuristischen Wert haben – viele Dinge haben einen heuristischen Wert –, doch will ich diese Möglichkeit hier nicht weiterverfolgen.) Hier scheint also eine Verwirrung vorzuliegen: so, als ob wir ein Hotelzimmer oder eine Gelegenheitsunterbringung oder eine gesicherte Wohnung für das Idealmodell eines menschlichen Zuhause nähmen. Natürlich sind wir auf Reisen dankbar für den Schutz und die Annehmlichkeiten eines Hotelzimmers. Wenn wir aller Kenntnisse darüber, wie unser eigenes Zuhause beschaffen war, bar wären und mit Leuten diskutierten, die auf ähnliche Weise ihr Heim verloren hätten, würden wir vermutlich auf irgend etwas Ähnliches (wenngleich nicht derart kulturell Spezifisches) kommen wie das Hilton Hotel. Mit folgendem Unterschied: Wir würden keine Luxussuiten zulassen; alle Zimmer würden dieselbe Ausstattung haben; oder: wenn es Luxussuiten gäbe, so läge ihre einzige Funktion darin, dem Hotel zusätzliche Kundschaft zu verschaffen und uns damit möglich zu machen, alle anderen Hotelzimmer zu verbessern – angefangen bei denen, die am meisten der Renovierung bedürfen. Aber auch wenn diese Ausstattung ziemlich komfortabel ausfiele, so würden wir uns immer noch nach unserem Zuhause sehnen, das wir einst hatten, an das wir uns aber nicht mehr erinnern können. Wir würden uns nicht moralisch daran gebunden fühlen, beständig in dem von uns entworfenen Hotel zu leben.

Ich habe bei dieser Geschichte unterstellt, daß mein eigenes Unbehagen an Hotels allgemein geteilt wird, und so sollte ich eine eindrucksvolle Gegenstimme anführen – eine Zeile aus Franz Kafkas *Briefen*: »Hotelzimmer habe ich gerne, im Hotelzimmer bin ich gleich zu Hause, mehr als zuhause, wirklich.«[24] Man beachte die Ironie: Es gibt kein anderes Wort, um das Gefühl auszudrücken, am eigenen Orte zu sein, als »zuhause« zu sagen. Es ist eine ziemliche Zumutung, wenn man von Männern und Frauen verlangt, die moralische Annehmlichkeit preiszugeben, auf die diese Worte anspielen. Was aber, wenn sie diese Annehmlichkeit überhaupt nicht kennen? Wenn ihr Leben dem von Kafkas K. gleicht oder dem irgendeines beliebigen Exilanten, Vertriebenen, Flüchtlings oder Staatenlosen des zwanzigsten Jahrhunderts.[25] Diese Leute brauchen geschützte Räume und eine anständige (wenn überhaupt) menschenwürdige Unterkunft. Was sie *brauchen,* ist eine universale (wenn auch minimale) Moral oder zumindest eine Moral, die unter(einander) Fremden ausgearbeitet wurde. Was sie jedoch in der Regel *wünschen,* ist nicht, beständig mit Aufenthaltserlaubnis in einem Hotel zu wohnen, sondern sich in einem neuen Zuhause einzurichten, in einer dichten moralischen Kultur, in der sie ein Gefühl der Zugehörigkeit entwickeln können.

Soweit also meine Geschichte. Aber es gibt noch eine andere und plausiblere Art und Weise, wie wir uns den Prozeß der moralischen Erfindung vorstellen können. Wir wollen einmal annehmen, daß die tatsächlich existierenden (gesellschaftlichen) Moralen göttliche Gebote oder natürliche Moralgesetze verkörpern – wie sie dies ja beanspruchen – oder doch wenigstens authentisch wertvolle Moralprinzipien, wie auch immer man diese dann verstehen mag. Jetzt besteht unsere Aufgabe nicht mehr darin, eine Moral *de novo* zu erfinden. Was wir vielmehr brauchen, ist eine Bestandsaufnahme oder ein Modell einer bereits bestehenden Moral, das uns eine klare und verständliche Darstellung der kritischen Stärke ihrer eigenen Prinzipien vermittelt, jedoch ohne das verwirrende Dazwischentreten von Vorurteilen oder egoistischen Sonderinteressen. Wir treffen uns also nicht mit Reisenden im äußeren (Welt) Raum, sondern beraten uns mit anderen Gesellschaftsgenossen oder Mitgliedern im inneren oder sozialen Raum. Wir befragen unser eigenes Moralverständnis, unser eigenes reflektiertes Bewußtsein von moralischen Prinzipien, wir versuchen dabei jedoch, jedes Gefühl persönlichen Ehrgeizes oder jedes Streben nach eigenen Vorteilen abzufiltern oder sogar völlig zu tilgen.

Unsere Methode besteht wiederum darin, bestimmte Kenntnisse in der moralischen Beratung auszuschalten,[26] und jetzt hat dieses Ausschalten nach Rawls die Funktion eines verfahrenstechnischen »Kunstgriffs«[27], um alle Betroffenen »repräsentieren« zu können. Wir lassen also alles Wissen über unsere Stellung in der Gesellschaft sowie unsere privaten Verbindungen und Verpflichtungen fahren, aber diesmal *nicht* unser Wissen um die Grundwerte (wie Freiheit und Gleichheit), die wir teilen. Wir möchten also die moralische Welt, in der wir leben, zwar durchaus *von innen,* aber von »keinem *bestimmten* Standpunkt« innerhalb dieser Welt beschreiben. Auch wenn diese Beschreibung sorgsam konstruiert ausfällt und sich ihre unmittelbaren Konstruktionsbedingungen ziemlich künstlich ausnehmen, wird sie dennoch die Beschreibung einer Wirklichkeit sein. Sie ähnelt darin mehr der philosophischen Entdeckung als der göttlichen Offenbarung. Die Erfinderkraft des Philosophen besteht hier nur mehr darin, die moralische Wirklichkeit zu einem Idealtyp zu verwandeln.

Die idealisierte Moral ist ursprünglich eine gesellschaftliche Moral; sie ist weder göttlichen noch natürlichen Ursprungs. Es sei denn, wir glauben, daß »Volkes Stimme Gottes Stimme« ist oder daß die menschliche Natur von uns verlangt, in Gesellschaft zu leben. Keine der Auffassungen dieser idealisierten Moral verpflichtet uns dazu, alles zu akzeptieren, was die Leute sagen, oder jeglicher gesellschaftlichen Ordnung zuzustimmen. Das Unterfangen, ein Idealtypus oder ein Modell einer bestehenden Moral zu bilden, hängt jedoch von irgendeiner vorherigen Anerkennung des Werts dieser Moral ab. Vielleicht liegt ihr Wert einfach darin, daß es keinen anderen Ausgangspunkt für moralische Spekulation gibt. Wir müssen von dort beginnen, wo wir bereits stehen. Wo wir jedoch stehen, das ist stets bereits ein *irgendwie wertvoller Ort (someplace of value),* sonst hätten wir uns dort niemals niedergelassen. Ein derartiges Argument scheint mir für den Pfad der Erfindung in seiner zweiten, minimalistischen Version gleichermaßen von Bedeutung zu sein. Seine Bedeutung wird von den Philosophen der moralischen Empfindung zugestanden, die an unsere moralischen Intuitionen appellieren, wenn sie ihre Modelle und Idealtypen konstruieren oder manchmal auch testen. Die moralische Intuition ist eine vorreflexive, vorphilosophische Kenntnis der moralischen Welt; sie ähnelt dem Bericht, den ein Blinder über die Möbel eines vertrauten Heims geben könnte. Diese Vertrautheit ist der entscheidende Punkt. Moralphilosophie wird hier verstanden als Reflexion über das Vertraute, als ein Wieder(er)finden unseres eigenen Zuhauses.

Dennoch handelt es sich um eine kritische Reflexion, um ein Wieder(er)finden, das zielbestimmt ist: Es geht darum, unsere Intuitionen unter Bezugnahme auf das Modell zu korrigieren, das wir aus diesen selben Intuitionen aufbauen; oder darum, unsere im Dunkeln tappenden Intuitionen mit Bezug auf ein Modell zu korrigieren, das wir aus unseren vertrauenerweckenderen Intuitionen konstruieren. In beiden Fällen bewegen wir uns zwischen unmittelbarem Moralempfinden und moralischer Abstraktion hin und her, zwischen einem intuitiven und einem reflexiven Verständnis.[28] Was aber ist es, das wir zu verstehen suchen? Und wie erhält dieses unser Verständnis davon, was auch immer es sein mag, seine kritische Kraft? Soviel ist klar, wenn wir einmal an diesem Punkt angelangt sind, bemühen wir uns nicht mehr darum, das göttliche Gesetz zu verstehen oder eine objektive Moral zu erfassen; und ebensowenig versuchen wir uns am Aufbau eines völlig neuen Gemeinwesens.[29] Unsere Aufmerksamkeit ist auf uns selbst, auf unsere eigenen Grundsätze und Werte gerichtet – sonst wäre die Berufung auf moralische Intuition überflüssig. Weil dies nun gleichfalls der Blickwinkel derjenigen Gesellschaftskritiker ist, die sich dem Pfad der Interpretation verschrieben haben, will ich zu ihnen übergehen. Auch sie sehen sich unmittelbar mit dem Problem konfrontiert, worin denn die Kraft der Kritik besteht. Wenn jede Interpretation von ihrem »Text« abhängig ist, wie kann sie dann jemals eine angemessene Kritik dieses Texts darstellen?

Meine bisherige Argumentation kann in anschaulicher Weise mittels einer Analogie zusammengefaßt werden. Die drei Pfade in der Moralphilosophie können *grosso modo* mit den drei Staatsgewalten verglichen werden. Der Pfad der Entdekkung ähnelt der Arbeit der Exekutive: das Gesetz zu finden, zu verkünden und dann durchzusetzen. Ich gebe zu, daß die Durchsetzung nicht zum gewöhnlichen Geschäft des Philosophen gehört, doch diejenigen, die das wahre Moralgesetz entdeckt zu haben glauben, werden es mit ziemlicher Wahrscheinlichkeit – was immer ihre privaten Vorlieben sein mögen – auch durchsetzen wollen oder sich dazu verpflichtet fühlen, es zu verwirklichen. Moses stellt ein Beispiel für dieses widerstrebende Pflichtgefühl dar. Irreligiöse Autoren wie Machiavelli haben ihn zwar einen Gesetzgeber genannt,[30] wenn wir uns aber an den biblischen Bericht halten, so müssen wir feststellen, daß er in keiner Weise gesetzgeberisch tätig war: Er empfing das Gesetz von Gott, unterwies das Volk und mühte sich redlich ab, auf daß es befolgt werde – er war ein durchaus unwilliger, aber wenigstens bei entscheidenden Anlässen energischer politischer Führer.[31] Die offenkundige philosophische Parallele ist Platons Philosophen-König, der das Gute nicht erschafft, sondern findet, und sich dann – mit ähnlichem Widerwillen – daran macht, es in der Welt in Kraft zu setzen. Der Utilitarismus liefert Beispiele einer geradlinigeren, weniger von Zaudern geplagten Umsetzung des entdeckten Moralgesetzes, ebenso der Marxismus – ein anderes Beispiel der wissenschaftlichen Entdeckung.

Die Entdeckung ist nicht selbst die Durchsetzung; sie verweist ganz einfach auf die exekutive Gewalt. Aber der Pfad der Erfindung ist von Anfang an ein legislatives Verfahren; denn die philosophischen Erfinder wollen ihre Prinzipien mit der Kraft des (Moral)Gesetzes versehen. Darum ist die Erfindung das Werk repräsentativer Männer und Frauen, die uns alle vertreten, da sie jede(r) von uns sein könnten. Aber es gibt zwei Sorten von Erfindung – und diese beiden entsprechen zwei verschiedenen Arten und Weisen der Gesetzgebung und erfordern dementsprechend zwei verschiedene Arten der Repräsentation. Die Erfindung *de novo* ähnelt der Arbeit einer verfassungsgebenden Versammlung. Da die Gesetzgeber hier eine moralische Neue Welt schaffen, müssen sie jedes mögliche oder potentielle Mitglied dieser Welt repräsentieren – und d. h. eine(n) jede(n), wo er auch leben und welchen Werten und Verpflichtungen auch immer er folgen mag. Die minimalistische Version der Erfindung ähnelt mehr der Arbeit einer konkreten Kodifizierung von Gesetzen. Hier müssen die Gesetzgeber, da sie nur die bereits bestehenden Gesetzesregeln kodifizieren, die Leute repräsentieren, für die die Gesetze gelten (sollen) – und d. h. eine bestimmte Gruppe von Frauen und Männern, die bestimmte moralische Intuitionen teilen und sich einer Reihe bestimmter Prinzipien verpflichtet wissen, wie konfus diese Grundsätze auch sein mögen.

Die Kodifizierung konkreter Gesetzesbestimmungen ist offenkundig ebenso ein Interpretationsverfahren wie ein Unterfangen der Erfindung oder Konstruktion: hier kommt der zweite Pfad dem dritten ziemlich nahe. Doch ein Kodex ist ein Gesetz oder ein Gesetzessystem, während eine Interpretation ein Urteil, also die Arbeit einer eigenen rechtsprechenden Gewalt darstellt. Der Anspruch der Interpretation liegt einfach in folgender Annahme: daß weder Entdeckung noch Erfindung notwendig sind, weil wir bereits über das verfügen, was sie uns zu beschaffen versprechen. Anders als die Politik bedarf die Moral weder einer Gewalt der Exekutive noch einer systematischen Gesetzgebung. Wir müssen die moralische Welt nicht erst entdecken, da wir immer schon in ihr gelebt haben. Wir brauchen sie nicht zu erfinden, weil sie bereits erfunden wurde – wenngleich nicht gemäß irgendeiner philosophischen Methode. Kein Konstruktionsverfahren wachte über ihren Aufbau *(design)*, und das Ergebnis ist zweifellos unstrukturiert und ungewiß. Doch es ist auch ein sehr dichtes Ergebnis: Die moralische Welt hat eine bewohnte Qualität, so wie bei einem seit mehreren Generationen von einer einzigen Familie bewohnten Heim finden sich hier und da nachträgliche Anbauten, und der gesamte verfügbare Raum ist mit erinnerungsgeladenen Gegenständen und Gebilden gefüllt. Das gesamte Gebäude – als ein Ganzes betrachtet – fügt sich weniger einem abstrakten Modell als vielmehr einer dichten Beschreibung.[32] In einem derartigen Milieu hat moralisches Argumentieren den Charakter einer Interpretation; es ähnelt der Arbeit eines Rechtsanwalts oder Richters, der sich abmüht, in einem Morast konfligierender Gesetze und Präzedenzfälle einen Sinn herauszufinden.

Aber Rechtsanwälte und Richter – könnte man hier einwenden – sind doch an den Gesetzesmorast gebunden; es ist schließlich ihr Job, hier einen Sinn zu finden, und sie haben keinen Auftrag, noch irgendwo anders danach zu suchen. Der Gesetzeswust oder besser: der Sinn, den man in ihm finden kann, ist für sie die einzige Autorität. Warum aber sollte der moralische Sumpf für Philosophen eine Autorität sein? Warum sollten sie nicht woanders Ausschau halten, auf der Suche nach einer besseren Autorität? Die Moral, die wir entdecken, verpflichtet uns kraft der Autorität von Gottes Schöpfung oder ihrer objektiven Wahrheit. Die Moral, die wir erfinden, verpflichtet uns kraft der Autorität ihres Verfahrens: weil ein jeder sie erfinden würde und nur sie erfinden könnte, wenn er nur das rechte Konstruktionsverfahren angewandt und sich den rechten Abstand von seinem unmittelbaren Kirchturm-Selbst erarbeitet hat. Aber warum sollte diese bereits existierende Moral uns verpflichten – kraft welcher Autorität? Diese Moral, die einfach *da ist,* die sich als Produkt von Zeit, von Zufällen, äußeren Einflüssen sowie als Ergebnis politischer Kompromisse, fehlbarer und partikularistischer Absichten herausgebildet hat?

Die einfachste Antwort auf diese Frage bestünde im Insistieren darauf, daß die Moralvorstellungen, die wir entdecken und erfinden, letzten Endes stets der Moral, die wir bereits besitzen, erstaunlich ähneln – und immer ziemlich ähnlich ausschauen werden. Die philosophische Entdeckung und Erfindung (die göttliche Offenbarung lassen wir hier beiseite) sind verkleidete Interpretationen; es gibt also in Wirklichkeit nur einen Pfad in der Moralphilosophie. Ich finde diese Sicht eine ziemlich verführerische, auch wenn sie dem ehrlichen Bestreben oder (manchmal) dem gefährlichen Ehrgeiz der Entdecker und Erfinder nicht gerecht wird. Aber ich will weder bestreiten, daß man die ersten beiden Pfade beschreiten kann, noch behaupten, daß diejenigen, die dies tun, in Wirklichkeit etwas ganz anderes tun. Es gibt in der Tat Entdeckungen und Erfindungen – der Utilitarismus ist ein Beispiel dafür –, aber je neuartiger diese sind, um so weniger taugen sie als starke oder auch nur plausible Argumente.

Die Erfahrung moralischen Argumentierens kann am besten nach Art der Interpretation verstanden werden. Was wir tun, wenn wir moralisch argumentieren, besteht darin, eine Bestandsaufnahme der bereits existierenden Moral vorzunehmen. Und diese Moral verpflichtet uns kraft der Autorität ihres Vorhandenseins: d. h. kraft dessen, daß wir nur als die moralischen Wesen existieren, die wir nun einmal sind. Alle unsere moralischen Kategorien, Beziehungen, Verpflichtungen und Hoffnungen sind bereits von dieser existierenden Moral geformt und werden in ihrem Vokabular formuliert. Die Pfade der Entdeckung und Erfindung sind Fluchtversuche: Versuche, einen Ausweg zu irgendeinem äußeren und allgemeingültigen Standard zu finden, mittels dessen die moralische Existenz zu beurteilen wäre. Diese Anstrengung mag äußerst lobenswert sein, doch sie ist – wie ich glaube – unnötig. Die Kritik des Bestehenden beginnt – oder kann doch beginnen – mit Grundsätzen, die dem Bestehenden bereits innewohnen.

Man könnte sagen, daß uns die moralische Welt deshalb verpflichtet, weil sie uns mit allem versorgt, was wir benötigen, um ein moralisches Leben zu führen – die Fähigkeit zur Reflexion und Kritik eingeschlossen. Zweifellos sind einige Moralauffassungen »kritischer« als andere, aber das bedeutet nicht, daß sie besser (oder schlechter) sind. Wahrscheinlicher ist, daß sie in etwa das liefern, was ihre Verfechter brauchen. Gleichzeitig jedoch geht die Kritikfähigkeit immer über die »Bedürfnisse« der Gesellschaftsstruktur selbst und ihrer herrschenden Gruppen hinaus. Ich will also keine funktionalistische Position verteidigen: Die moralische Welt und die soziale Welt sind zwar *mehr oder weniger* kohärent aufeinander bezogen, aber sie können das immer nur auf mehr oder weniger kohärente Weise sein. Moral hat stets einen für Macht und Herrschaft[33] potentiell subversiven Charakter.

Im zweiten Kapitel werde ich zu erklären versuchen, warum Subversion immer möglich ist und wie sie tatsächlich vorgeht. Zunächst aber muß ich meine Behauptung weiter begründen, daß moralisches Argumentieren immer den Charakter einer Interpretation hat. Für die Analogie der Rechtsprechung scheint diese These weitaus plausibler zu sein. Denn die Frage, vor der Rechtsanwälte oder Richter für gewöhnlich stehen, hat bereits eine Form, die nach Interpretation verlangt: Worin besteht das von Gesetz oder Verfassung vorgeschriebene Handeln? Die Frage selbst nimmt also schon Bezug auf einen bestimmten Korpus von Gesetzen oder einen bestimmten Verfassungstext, und man kann sie nur dadurch beantworten, daß man eine Bestandsaufnahme der fraglichen Gesetze oder Verfassung vornimmt. Weder diese noch jene haben allerdings die Einfachheit und Präzision eines Maßstabs, an dem wir die unterschiedlichen Handlungen der Streitparteien bloß zu messen bräuchten. Ohne einen solchen Maßstab bleiben wir auf Exegese, Kommentare und historische Präzedenzfälle verwiesen, auf eine Tradition von Rechtsstreit und Rechtsauslegung. Jede Interpretation, die vorgelegt wird, wird natürlich selbst wieder umstritten sein, aber es gibt wenig Meinungsverschiedenheiten darüber, was wir zu interpretieren haben oder gar über die Notwendigkeit, sich um eine Auslegung zu bemühen.

Die Frage hingegen, die sich gewöhnlichen Männern und Frauen beim moralischen Argumentieren stellt, hat normalerweise eine andere Form: Was (überhaupt) ist richtig zu tun? Und jetzt ist der Bezugsrahmen der Frage überhaupt nicht mehr klar, ebensowenig wie der rechte Weg, sie zu beantworten. Keineswegs tritt sofort in Erscheinung, daß die Frage die Interpretation einer bestimmten, bereits existierenden Moral betrifft; denn es wäre ja möglich, daß uns diese Moral – in welcher Interpretation auch immer – gar nicht sagt, was zu tun das Richtige ist. Vielleicht sollten wir ja nach einer besseren Moral Ausschau halten – oder sie erfinden. Wenn wir dann aber dem Verlauf der Argumentation folgen, ihr zuhören und ihre Erscheinungsweise untersuchen, so werden wir feststellen, daß sich die Beratung in Wirklichkeit auf die Bedeutung desjenigen konkreten moralischen Lebens bezieht, an dem die Diskussionsteilnehmer bereits teilnehmen. Die allgemeine Frage, was (überhaupt) zu tun richtig ist, verwandelt sich bald in eine spezifischere Frage – etwa nach den Karrieremöglichkeiten für alle Begabungen, und dann nach der Chancengleichheit, nach Unterstützungsprogrammen für Benachteiligte, Quotenregelungen usw. Wir können diese Fragen als verfassungsrechtliche Streitfragen ansehen, die nach Rechtsauslegung verlangen; aber es sind auch moralische Fragen. Und dann verlangen sie von uns, daß wir uns darüber auseinandersetzen, was eine Karriere ist, welche Arten von Begabungen wir anerkennen sollten, ob Chancengleichheit ein »Recht« darstellt, und wenn ja, welche sozialpolitischen Maßnahmen sie erfordert. Diese Fragen werden innerhalb einer Tradition moralischen Argumentierens verfolgt – ja, sie entstehen überhaupt erst im Rahmen dieser Tradition –, und sie werden dadurch verfolgt, daß wir das Vokabular dieser Tradition interpretieren.[34] Die moralische Auseinandersetzung hat also uns selbst zum Thema: sie dreht sich darum, was unsere Lebensweise (für uns) bedeutet. Die allgemeine Frage, die wir am Ende der moralischen Beratung beantworten, ist nicht mehr ganz dieselbe, die wir zu Beginn stellten. Sie hat jetzt einen entscheidenden Zusatz: Was ist *für uns* richtig zu tun?

Nichtsdestoweniger trifft es zu, daß die moralische Frage für gewöhnlich in einem allgemeineren Vokabular gestellt wird als die rechtliche Frage. Der Grund dafür kann nur darin liegen, daß Moral in der Tat allgemeiner ist als das Recht. Die Moral liefert jene grundlegenden Verbote – zu morden, zu betrügen, zu verraten, Grausamkeiten zu begehen –, die das Recht in spezifische Regeln faßt und die Polizei manchmal durchsetzt. Wir können, so vermute ich, geistig einen Schritt zurücktreten, Abstand von unseren Kirchturmangelegenheiten gewinnen und so diese Verbote »entdecken«. Aber wir können auch einen Schritt nach vorne tun, also in das Dickicht der moralischen Erfahrung eindringen, wo diese Verbote auf viel direktere Art und Weise bekannt sind. Denn sie selbst sind Kirchturmangelegenheiten – d. h. Angelegenheiten jedes Kirchspiels, jeder Menschengemeinde. Ebenso können wir dieses oder jenes Konstruktionsverfahren in Anwendung bringen und die Verbote neu »erfinden«, so wie wir auch Mindeststandards einer halbwegs annehmlichen Hotelunterkunft erfinden könnten. Aber wir können auch die wirklichen geschichtlichen Prozesse studieren, in deren Verlauf diese Verbote anerkannt und angenommen wurden. Denn sie haben praktisch in jeder menschlichen Gesellschaft Anerkennung gefunden.

Diese Verbote stellen eine Art minimalen und universalen Moralcode dar. Weil sie universelle Mindeststandards sind (ich sollte sagen: *fast* universelle – um mich gegen das leidige Gegenbeispiel des Anthropologen abzusichern), können wir sie (uns) als philosophische Entdeckungen oder Erfindungen darstellen oder vorstellen. Auch eine Einzelperson, die sich selbst als einen Fremden vorstellt, der ohne Bindungen und Heimstatt in der Welt verloren umherirrt, könnte sehr wohl auf diese Verbote kommen: sie sind durchaus denkbar als Ergebnisse der Rede einer Person allein. In Wirklichkeit jedoch sind sie die Ergebnisse der Rede von Vielen, von vielen tatsächlichen, wenn auch stets versuchsweise, unterbrochen und unabgeschlossen bleibenden Diskussionen. Wir können sie uns wohl am besten weder als entdeckte noch als erfundene, sondern als allmählich hervortretende Verbote vorstellen, als das Ergebnis vieler Jahre, von Versuch und Irrtum, von immer wieder scheiterndem, partiellem und unsicherem Verstehen – ähnlich wie David Hume mit Bezug auf das Verbot des Diebstahls (zum Zwecke der »Stabilität des Besitzes«) ausführt, daß dieses Verbot »schrittweise entsteht und langsam erst, durch unsere wiederholte Erfahrung der Nachteile, die aus seiner Übertretung erwachsen, an Kraft gewinnt«.[35]

Für sich genommen deuten diese universellen Verbote jedoch kaum die Umrisse einer voll entfalteten oder lebensfähigen Moral an. Sie liefern einen Rahmen für jedes mögliche (moralische) Leben, aber nur einen Rahmen, in dem alle wesentlichen Details erst noch ausgefüllt werden müssen, bevor irgend jemand auf die eine oder andere Weise tatsächlich darin leben könnte. Erst wenn die Diskussionen eine gewisse Kontinuität annehmen und sich das wechselseitige Verstehen allmählich verdichtet, erhalten wir so etwas wie eine moralische Kultur – eine Kultur, in der das moralische Urteilen und Bewerten, die Kriterien für die Güte von Personen und Dingen detaillierte Gestalt annehmen. Man kann eine solche moralische Kultur ebensowenig aus dem Minimalcode universeller Verbote ableiten wie ein Rechtssystem. Beide stellen Spezifizierungen und Ausarbeitungen des Verbotscodes dar, sie sind Variationen auf seiner Grundlage. Und während eine Ableitung *ein* einzig richtiges Verständnis von Moral und Recht hervorbringen würde, sind die Spezifizierungen, Ausarbeitungen und Varianten notwendigerweise vielfältiger Natur.

Ich vermag keinen Weg zu sehen, auf dem man diesem Pluralismus ausweichen könnte. Könnte man ihn aber vermeiden, dann würde er gleichermaßen in der Moral ausgeschaltet wie im Recht; diesbezüglich gibt es keinen Unterschied zwischen beiden. Wenn wir z. B. über *a priori*-Definitionen von Mord, Täuschung und Verrat verfügten, wäre es plausibel, daß die moralische und die rechtliche Spezifizierung die Form einer Reihe von Ableitungsschritten mit einem notwendigen Endergebnis annehmen. Aber solche Definitionen besitzen wir nicht, und wir sind daher in beiden Fällen auf die gesellschaftlich geschaffenen Bedeutungen verwiesen. Die moralische Frage hat eine allgemeine Form, weil sie sich ebenso auf den Minimalcode bezieht wie auf die gesellschaftlichen Bedeutungen, wohingegen die rechtliche Fragestellung spezifischer ausfällt, denn sie bezieht sich nur auf die per Gesetz festgelegten sozialen Bedeutungen. Aber unsere Methode, die eine wie die andere zu beantworten, kann nur in der Interpretation bestehen. Es gibt keine andere Möglichkeit, denn der minimale Verbotscode allein beantwortet weder die moralische noch die rechtliche Frage.

Diese These, daß wir keine andere Möglichkeit haben als den Pfad der Interpretation, ist eine stärkere Behauptung als die, mit der ich begonnen habe. Wir können, wie ich vermute, immer eine neue und voll entfaltete Moral entdecken oder erfinden. Diese wird in der Tat voll entfaltet sein müssen, wenn sie den ganzen Weg (etwa) bis hin zur historisch besonderen Vorstellung umfassen soll, das Menschenleben als eine Karriere aufzufassen. Außerdem könnten wir versucht sein, den Pfad der Entdeckung oder den der Erfindung zu beschreiten, wenn wir feststellen, wie das Interpretationsunterfangen beständig weitergeht und niemals zu einem definitiven Abschluß kommt. Doch natürlich gelangen auch Entdeckung und Erfindung niemals an ein definitives Ende, und es mag von Interesse sein, für einen Augenblick darüber nachzudenken, woran sie dabei scheitern. Zum Teil scheitern ihre Versuche, ein definitives System zu etablieren, daran, daß es eine unendliche Zahl möglicher Entdeckungen und Erfindungen und eine endlose Folge kühner Entdecker und Erfinder gibt. Aber sie scheitern auch aus folgendem Grund: Jede Übernahme einer bestimmten moralischen Entdeckung oder Erfindung durch eine Gruppe von Menschen wird innerhalb dieser Gruppe unweigerlich sofort zu Auseinandersetzungen über die Bedeutung der Normen führen, die man gerade angenommen hat. Einfache Faustregel: Jede Entdeckung und Erfindung (das göttliche Gesetz ist ein offenkundiges Beispiel) verlangt nach Interpretation.

Das ist völlig richtig, mag jemand darauf erwidern: und dies erklärt ja auch, warum die Interpretation die gewohnte Form moralischen Argumentierens darstellt. Sie hat durchaus ihren Platz und ihre Bedeutung, aber nur während Perioden der »normalen Moral« – die ebenso von alltäglicher Routinearbeit gekennzeichnet sind wie Perioden der »normalen Wissenschaft« in der Beschreibung von Thomas S. Kuhn[36] – zwischen den revolutionären und Paradigmen zerschmetternden Augenblicken von Entdeckung und Erfindung. – Was das moralische Leben betrifft, so ist eine derartige Auffassung jedoch eher eine melodramatische Beschreibung als eine realistische Geschichte.

Sicher – es gab historisch entscheidende Entdeckungen und Erfindungen: Neue Welten, die Schwerkraft, elektromagnetische Wellen, die Atomkraft, die Druckerpresse, die Dampfmaschine, den Computer, wirksame Methoden der Empfängnisverhütung. Alle diese wissenschaftlichen Entdeckungen und Erfindungen haben unsere Art zu leben und die Art, über unsere Lebensweise zu denken, verändert. Mehr noch, sie taten dies mit der Gewalt und Plötzlichkeit von Offenbarung – ganz in der Art, wie der mittelalterliche jüdische Philosoph Judah Halevi zur Religion ausführt: »Eine Religion göttlichen Ursprungs entsteht plötzlich. Ihr wird geheißen, in Erscheinung zu treten – und schon ist sie da.«[37] Können wir aber in der (weltlichen) moralischen Erfahrung auch nur irgend etwas damit Vergleichbares finden? Etwa das Prinzip größtmöglichen Nutzens? Die Menschenrechte? – Vielleicht, doch scheinen die moralischen Veränderungen weitaus langsamer und weniger abrupt vonstatten zu gehen als der wissenschaftliche und technologische Wandel. Außerdem haben sie keineswegs einen so eindeutig fortschrittlichen Charakter, wie dies vermutlich ein größeres Tatsachenwissen oder erweiterte menschliche Fähigkeiten haben.

Soweit wir einen moralischen Fortschritt feststellen können, hat er jedenfalls weniger mit der Entdeckung oder Erfindung neuer Prinzipien zu tun als damit, daß zuvor aus den alten Prinzipien ausgeschlossene Männer und Frauen in ihren Geltungsbereich eingeschlossen werden. Und dies ist eher eine Angelegenheit (der tagtäglichen Arbeit) von Gesellschaftskritik als der (Paradigmen zerschmetternden) philosophischen Spekulation.

Diejenigen Arten von Entdeckungen und Erfindungen, die mit hoher Wahrscheinlichkeit in unsere moralischen Argumentationen eingebaut werden können (wobei wir jetzt von Entdeckungen und Erfindungen absehen, die uns mit Gewalt aufgezwungen werden), werden gleichzeitig höchstwahrscheinlich nur sehr wenig entscheidende Wirkungen auf den Ausgang der Erörterung haben. Wir können dies im Kleinen an der Masse von Schrifttum sehen, die bereits zum Rawls'schen Unterschiedsprinzip entstanden ist und sich hauptsächlich um die Frage der Gleichheit dreht:[38] Wie egalitär würde dieses Prinzip in seinen tatsächlichen Auswirkungen ausfallen? Und dann: Wie egalitär war es wirklich gemeint? Wie egalitär sollte es denn sein? Lassen wir die grundlegendere Frage beiseite, ob das Unterschiedsprinzip überhaupt eine Erfindung im schwachen oder starken Sinne darstellt oder ob es selbst eine Interpretation (oder Fehlinterpretation) unserer existierenden Moralvorstellungen ist. Was immer es ist, es wirft Fragen auf, auf die es keine definitiven und endgültigen Antworten gibt. Das Unterschiedsprinzip mag »plötzlich« aufgetreten sein, aber es ist nicht einfach »da«.

Nun gibt es auf die Fragen, die ich soeben gestellt habe, bessere und schlechtere Antworten; und einige der besseren werden zunehmend in das Prinzip selbst verpflanzt und dann ihrerseits zu Gegenständen der Interpretation werden. Woran können wir die besseren Antworten erkennen? Gegen die Interpretation als Methode in der Moralphilosophie wird manchmal eingewandt, daß wir uns niemals darauf einigen können, welche die besseren sind, ohne bereits über die Hilfe einer angemessenen Theorie der Moral zu verfügen.[39] Aber in dem Fall, den ich mir gerade vorstelle – dem Fall des Unterschiedsprinzips –, werden wir zur Interpretation getrieben, weil wir uns schon nicht darüber einigen können, was es bedeutet und beinhaltet, eine richtige Moraltheorie zu haben, oder was einige Leser für eine solche Theorie halten. Es gibt keine endgültige Methode, diese Meinungsverschiedenheiten zu beenden. Aber die beste Darstellung des Unterschiedsprinzips wäre eine, die es mit anderen amerikanischen Werten – gleicher Schutz und Chancengleichheit für alle, politische Freiheitsrechte, Individualismus – in Übereinstimmung brächte und mit einer plausiblen Auffassung von Leistungsanreizen und Produktivität verbinden würde. Wir würden uns wohl auch hier über die beste Darstellung streiten, doch wir wüßten im Groben bereits, was wir suchen, und hätten darum keine Schwierigkeiten, eine Vielzahl unangemessener Darstellungen oder falscher Bestandsaufnahmen auszuschließen.

Es mag an dieser Stelle hilfreich sein, die Interpretation, wie ich sie verstehe, von Michael Oakeshotts Methode der »Verfolgung von Andeutungen« *(pursuit of intimations)* zu unterscheiden. Auch sein Unterfangen ist gewiß interpretativer Natur, doch wird diese Interpretation entscheidend durch den Umstand eingeschränkt, daß Oakeshott nur die Andeutungen »überlieferter Verhaltensweisen« oder alltäglicher sozialer Übereinkünfte verfolgen will – ohne jede Bezugnahme auf »allgemeine Begriffe« (wie Freiheit oder Gleichheit oder in unserem Falle das Unterschiedsprinzip). Die von einem menschlichen Gemeinwesen[40] geteilten Auffassungen werden jedoch häufig in allgemeinen Begriffen ausgedrückt – in seinen historischen Idealen, seiner öffentlichen Rhetorik, seinen Gründungstexten, seinen Riten und Zeremonien. Nicht allein, was die Leute tun, sondern auch die Art und Weise, wie sie ihre Taten erklären und rechtfertigen, welche Geschichten sie dabei erzählen und auf welche Prinzipien sie sich dabei berufen, konstituiert eine moralische Kultur. Deshalb können innerhalb moralischer Kulturen nicht nur – wie Oakeshott es nennt – »Inkohärenzen« (zwischen alltäglichen Handlungsweisen) auftreten, sondern auch Widersprüche (zwischen Prinzipien und Handlungsweisen). Und dann ist es für die Interpretation nicht immer möglich, die Form anzunehmen, die Oakeshott bevorzugt: »Eine Unterhaltung, kein Streitgespräch.« Oakeshott hat recht, wenn er darauf insistiert, daß es

»keine fehlerfreie Technik gibt, mittels derer wir die Andeutungen hervorlocken könnten, die weiterzuverfolgen am lohnendsten ist«.[41] Sicher gibt es sie nicht, das bedeutet jedoch nicht, daß das Verfolgen (moralischer Traditionen und Intuitionen) nicht weitaus abenteuerlicher ausfallen kann (und ausfiel), als Oakeshott dies zulassen will. Und im Verlauf des Abenteuers verwandeln sich dann Gespräche automatisch in Streitgespräche.

Die Interpretation verpflichtet uns nicht zu einer positivistischen Lesart der real existierenden Moral, einer Beschreibung moralischer Tatsachen, als ob sie unserem Verstehen unmittelbar zugänglich wären. Es gibt solche moralischen Tatsachen, aber die interessantesten Teile der moralischen Welt sind nur im Prinzip Tatsachenfragen: In der Praxis müssen sie »gelesen«, verdeutlicht, ausgelegt, kommentiert, erläutert und nicht bloß beschrieben werden. Wir alle sind damit beschäftigt, all diese Dinge zu tun; wir alle interpretieren die Moral, an der wir teilhaben. Das bedeutet nicht, daß die beste Interpretation aus der Summe aller anderen besteht, daß sie das Ergebnis eines komplizierten Forschungsüberblicks ist – ebensowenig wie die beste Lesart eines Gedichts eine Meta-Lektüre darstellt, die die Antworten sämtlicher Leser des Gedichts zusammenfaßt. Die beste Lesart ist nicht von anderer Art als alle anderen Lesarten – sie ist nur von besserer Qualität: sie erhellt uns das Gedicht auf schlagendere und überzeugendere Weise. Vielleicht ist die beste Lesart eine neue Lesart, die ein zuvor mißverstandenes Symbol oder eine bestimmte Wendung neu erfaßt und so das ganze Gedicht neu interpretiert. Genauso liegt der Fall bei der moralischen Interpretation: manchmal wird sie die überlieferte Interpretation bestätigen, manchmal in Frage stellen. Und wenn wir mit der Bestätigung (oder der Infragestellung) nicht einverstanden sind, bleibt uns nichts anderes übrig, als zum »Text« – den Werten, Prinzipien, Codes und Konventionen, aus denen die moralische Welt besteht – und den »Lesern« des Textes zurückzukehren.

Die Leser, vermute ich, sind die wirkliche Autorität: wir bieten unsere Interpretation auf, damit sie ihr zustimmen.[42] Aber die Sache ist nicht erledigt, wenn sie nicht zustimmen. Denn Leser sind auch Wiederleser, die ihre Meinung ändern können, und auch die Zusammensetzung der Leserschaft ändert sich; die Auseinandersetzung kann also immer wieder neu beginnen. Meine eigene Auffassung in dieser Frage kann ich am besten mit einer Geschichte aus dem Talmud erläutern; denn der Talmud ist eine Sammlung von Interpretationen, gleichzeitig rechtlicher und moralischer Natur. Der Hintergrund der Geschichte ist ein Text aus dem fünften Buch Mose (*Deuteronomium*, 30. 11-14):

> *Denn das Gebot, das ich dir heute gebiete, ist dir nicht verborgen noch zu ferne* noch im Himmel, daß du möchtest sagen: Wer will uns in den Himmel fahren und es uns holen, daß wir's hören und tun? Es ist auch nicht jenseits des Meers, daß du möchtest sagen: Wer will uns über das Meer fahren und es uns holen, daß wir's hören und tun? *Denn es ist das Wort ganz nah bei dir, in deinem Mund und deinem Herzen, daß du es tust.*

Ich will die Geschichte nicht zitieren, sondern wiedererzählen, denn solche Geschichten werden besser erzählt als zitiert.[43] Die Geschichte dreht sich um einen Streit zwischen einer Gruppe von Weisen; der Gegenstand des Streits spielt keine Rolle. Rabbi Eliezer stand alleine da, eine Ein-Mann-Minderheit, nachdem er jedes auch nur vorstellbare Argument vorgebracht hatte, ohne seine Kollegen überzeugen zu können. Völlig erschöpft rief er schließlich Gott um Hilfe an: »Wenn das Gesetz so ist, wie ich es sage, so laß diesen Johannisbrotbaum es beweisen.« Woraufhin der Johannisbrotbaum um hundert Ellen in die Luft erhoben wurde – einige sagen sogar um vierhundert Ellen. Rabbi Joshua sprach für die Mehrheit: »Kein Beweis kann von einem Johannisbrotbaum gegeben werden.« Darauf sagte Rabbi Eliezer: »Wenn das

Gesetz ist, wie ich es sage, dann soll dieser Strom es beweisen.« Und augenblicklich begann der Strom rückwärts zu fließen. Aber Rabbi Joshua antwortete: »Kein Beweis kann von einem Strom gegeben werden.« Wiederum sprach Rabbi Eliezer: »Wenn das Gesetz so ist, wie ich sage, dann sollen die Mauern dieses Schulhauses es beweisen.« Und die Mauern begannen zu fallen. Aber Rabbi Joshua tadelte die Mauern und sagte ihnen, es sei nicht ihr Geschäft, sich in einen Disput unter Gelehrten über das moralische Gesetz einzumischen; und sie hörten auf zu fallen und stehen bis zum heutigen Tage, wenngleich ein wenig schief. Darauf rief Rabbi Eliezer Gott selbst an: »Wenn das Gesetz so ist, wie ich es sage, dann laß es vom Himmel beweisen.« Woraufhin sich eine Stimme erhob und rief: »Was streitet ihr mit Rabbi Eliezer? In allen Fragen ist das Gesetz so, wie er sagt.« Doch Rabbi Joshua stand auf und rief: »Es ist nicht im Himmel!«

Die Moral ist, in anderen Worten, etwas, worüber wir streiten müssen. Der Streit impliziert, daß wir sie gemeinsam besitzen, doch dieser gemeinsame Besitz garantiert keine Übereinstimmung. Es gibt eine Überlieferung, einen Korpus moralischen Wissens; und es gibt eine Gruppe von Weisen, die sich streiten. Etwas anderes gibt es nicht. Keine Entdeckung oder Erfindung kann den Streit beenden; und kein »Beweis« hat den Vorrang vor der (zeitweiligen) Mehrheit der Weisen.[44] Das ist die Bedeutung von »Es ist nicht im Himmel«.

Wir müssen den Streit fortsetzen: und vielleicht aus diesem Grunde erzählt uns die Geschichte nicht, ob in der konkreten Streitfrage Rabbi Eliezer oder Rabbi Joshua im Recht war. In der Verfahrensfrage jedoch war Rabbi Joshua völlig im Recht. Die Frage ist nun, ob uns Rabbi Joshua, der sich nicht auf die Offenbarung verließ, und seine zeitgenössischen Nachfahren, die den Weg der Entdeckung und Erfindung aufgegeben haben, immer noch etwas Sinnvolles – und d. h. Kritisches – über die wirkliche Welt sagen können.

II
DIE PRAXIS DER GESELLSCHAFTSKRITIK

Gesellschaftskritik stellt eine derart weitverbreitete Tätigkeit dar – so viele Leute nehmen auf die eine oder andere Weise daran teil –, daß wir von Anfang an den Verdacht hegen müssen, sie warte nicht auf philosophische Entdeckung oder Erfindung. Betrachten wir nur den Ausdruck selbst: »Gesellschaftskritik« ist kein Wort wie »Literaturkritik«, wo uns der Zusatz (Literatur-) nur das Objekt der Tätigkeit angibt, die das Hauptwort bezeichnet. Der Zusatz »Gesellschafts-« (oder »Sozial-«) sagt uns vielmehr etwas über das Subjekt der Tätigkeit selbst. Gesellschaftskritik ist eine gesellschaftliche Tätigkeit. Der Zusatz »Gesellschafts-« hat hier eine pronominale und eine reflexive Funktion, ähnlich wie der Zusatz »Selbst-« im Worte »Selbstkritik«, der gleichzeitig Subjekt und Objekt des Ausdrucks bezeichnet. Zweifellos kritisieren sich Gesellschaften nicht selbst: Gesellschaftskritiker sind Individuen, aber sie sind ebenso – wenigstens in den allermeisten Fällen – auch Mitglieder der Gesellschaften, die sie kritisieren; und sie reden in der Öffentlichkeit zu anderen Gesellschaftsmitgliedern, die ihrerseits am Gespräch teilnehmen und deren Rede eine kollektive Reflexion auf die Bedingungen kollektiven Zusammenlebens darstellt.

Das ist eine bedingte, versuchsweise Definition von Sozialkritik. Ich will damit nicht behaupten, sie sei die einzig mögliche oder einzig korrekte Definition, aber ich unterstelle, daß diese Definition von Gesellschaftskritik (wenn wir uns die übliche Liste im Wörterbuch vorstellen) an erster Stelle stehen sollte. Das gegenteilige Argument bestreitet, daß innergesellschaftliche Reflexion überhaupt auf diese Liste gehört. Denn wie könnte sie jemals eine zufriedenstellende Form von Reflexion darstellen? Arbeiten nicht alle Bedingungen kollektiven Zusammenlebens – Unmittelbarkeit, Abgeschlossenheit, emotionale Bindung, Kirchturmvisionen – gegen ein kritisches Selbstverständnis? Sobald jemand »*unser* Land« sagt und dabei das Possessivpronomen betont, wird er nicht höchstwahrscheinlich mit »Recht oder Unrecht« *(our country*

– *right or wrong!)* fortfahren? Der berühmte Trinkspruch Stephen Decaturs gilt oft als Musterbeispiel einer Loyalität, die Kritik ausschließt. Er ist es nicht: denn man kann immer noch »Unrecht« sagen, wie dies Carl Schurz 1872 im Senat der Vereinigten Staaten getan hat: »Unser Land, Recht oder Unrecht! Wenn es im Recht ist, so soll es auf rechtem Kurs gehalten werden; wenn es im Unrecht ist, so muß es zurecht gerückt werden!«[1] Wenn unser Land sich falsch verhält, ist es doch immer noch unser Land, und wir sind vielleicht in besonderem Maße dazu verpflichtet, seine Politik zu kritisieren. Und dennoch stellt das Possessivpronomen ein Problem dar. Je mehr wir uns nämlich mit unsrem Lande identifizieren – so heißt es für gewöhnlich –, um so schwieriger wird es für uns sein, sein Unrecht zu bemerken oder anzuerkennen. Kritik verlangt kritische Distanz.

Es ist allerdings nicht klar, *wieviel* an Distanz kritische Distanz verlangt. Wo müssen wir stehen, um Gesellschaftskritiker zu sein? Nach der üblichen Auffassung müssen wir dazu völlig außerhalb der gemeinsamen kollektiven Lebensumstände stehen. Kritik ist eine Tätigkeit von außen; sie wird erst durch radikalen Abstand möglich – und zwar in doppeltem Sinne. Erstens müssen Kritiker von ihrer eigenen Mitgliedschaft in ihrer Gesellschaft einen gefühlsmäßigen Abstand gewonnen und sich der Intimität und Wärme der Zugehörigkeit entwunden haben: Sie haben unparteilich und leidenschaftslos zu sein. Zweitens müssen Kritiker einen intellektuellen Abstand gewonnen und sich von den (für gewöhnlich als selbstverherrlichend geltenden) Kirchturmauffassungen ihrer eigenen Gesellschaft freigemacht haben: Sie haben vorurteilsfrei und objektiv zu sein. Dieses Bild des »externen« Kritikers gewinnt seine Stärke aus dem Umstand, daß es genau auf die Bedingungen der philosophischen Entdeckung und Erfindung paßt und somit nahezulegen scheint, daß nur Entdecker oder Erfinder (oder von Entdeckern oder Erfindern instruierte Frauen oder Männer) wahrhaft kritisch sein können.

Dieser radikale Abstand hat zudem, das nicht unbedeutende Verdienst, daß durch ihn der Kritiker selbst zum Helden wird. Schließlich ist es ein hartes Geschäft (wenngleich in einigen Gesellschaften härter als in anderen), sich selbst emotional oder intellektuell aus seinen Bindungen zu befreien. »Allein und im Dunkeln« voranzuschreiten läßt frösteln, selbst wenn man sich auf der Straße der Aufklärung befindet. Kritische Distanz ist eine Leistung, und der Kritiker zahlt einen harten Preis in Sachen Annehmlichkeit und Solidarität. Es muß jedoch gleichfalls gesagt werden, daß die Schwierigkeit, eine Position wahrhaften Abstands zu finden, durch die Leichtigkeit kompensiert wird, mit der man das kritische Geschäft betreiben kann, sobald man sich einmal dort befindet.

Es dürfte keine Überraschung für den Leser sein, daß für mich ein radikaler Abstand keine Vorbedingung für Gesellschaftskritik, nicht einmal für radikale Gesellschaftskritik darstellt. Man braucht nur eine Liste von Kritikern zusammenzustellen – angefangen bei den Propheten des alten Israel –, um festzustellen, auf wie wenige Menschen diese Bedingung tatsächlich zutrifft.[2] Diese Beschreibung hat sich teilweise wohl auch aufgrund einer Verwechslung zwischen Abstand und Randständigkeit eingebürgert. Die Propheten Israels standen nicht einmal am Rande ihrer Gesellschaft, aber viele ihrer Nachfolger taten das. Randständigkeit *(marginality)* war oft ein Zustand, der einen Beweggrund für Kritik abgab und den charakteristischen Tonfall des Kritikers sowie die Art und Weise seines Auftretens bestimmte. Sie ist jedoch kein Zustand, der eine Garantie für Unparteilichkeit, Leidenschaftslosigkeit, Vorurteilsfreiheit oder gar Objektivität darstellte. Und ebensowenig ist sie ein Zustand außerhalb (der Gesellschaft). Männer und Frauen am Rande sind wie Georg Simmels »Fremder«[3], sie stehen innerhalb ihrer Gesellschaft, doch sind sie nicht voll in sie integriert. Die Schwierigkeiten, die sie erfahren, rühren nicht aus völligem Abstand gegenüber ihrer Gesellschaft, sondern aus ihrer zweideutigen Verbindung mit ihr. Befreit man sie von ihren Schwierigkeiten, so möchten sie wohl auch die Gründe dafür verlieren, sich am Unternehmen der Kritik zu beteiligen. Oder: Die Kritik wird ganz anders ausfallen, als wenn sie an den Rändern der Gesellschaft von »freischwebenden Intellektuellen« oder Mitgliedern unterdrückter Klassen oder Minderheiten, ja, sogar von Außenseitern und Parias formuliert wird. Denn wir müssen uns dann keinen randständigen Kritiker vorstellen, sondern einen Kritiker, der von seiner eigenen Randposition Abstand genommen hat. Er könnte gewiß immer noch jede Gesellschaft kritisieren, in der Gruppen von Männern und Frauen an den Rand gedrängt werden (oder er könnte dies auch nicht tun, weil er feststellt, daß die Ränder so häufig ein kreatives Milieu darstellen). Aber seine eigene Randständigkeit wäre jetzt für ihn – so er sich noch daran erinnerte – nur ein verzerrender Faktor, der seine objektive Urteilsfähigkeit beeinträchtigt. Dasselbe gälte aber genauso auch für seine Stellung mitten im Zentrum der Gesellschaft und seine enge Verwicklung mit ihren Herrschern, wenn er denn derart involviert wäre. Die Position des Abstands unterscheidet sich ebenso zur Randständigkeit wie zur Stellung im Zentrum: sie ist von den Spannungen frei, die beide miteinander verbinden.

Nach der konventionellen Auffassung ist also der Kritiker in Wirklichkeit gar kein Randständiger; er ist vielmehr ein Außenseiter – oder: er hat sich dazu gemacht –, ein externer Beobachter, ein »völlig Fremder«, ein Marsmensch. Aus der Distanz, die er errichtet, rührt eine Art kritischer Autorität. Wir können ihn vergleichen mit einem imperialen Richter in einer zurückgebliebenen Kolonie des *Empire*. Er steht außerhalb, an einem privilegierten Ort, wo er Zugang zu »fortgeschrittenen« oder universellen Prinzipien hat; und diese Prinzipien bringt er mit unpersönlicher (intellektueller) Strenge zur Anwendung. Er hat an der Kolonie kein anderes Interesse, als sie vor die Schranken des Gerichts zu bringen. Wir müssen ihm vermutlich Wohlwollen unterstellen: er will wirklich das Beste für die Eingeborenen. Ja, um die Analogie noch enger zu machen, er ist selbst ein Eingeborener – einer der Chinesen Ihrer Königlichen Majestät oder ein verwestlichter und englischsprachiger Inder oder ein Pariser Marxist, der zufällig aus Algerien stammt. Er selbst hat seine Ausbildung im Zentrum des *Empire* erfahren – sagen wir in Paris oder Oxford – und radikal mit der beschränkten Kirchturm-Weltsicht seines Heimatlandes gebrochen. Natürlich hätte er es persönlich vorgezogen, weiter in Paris oder Oxford zu bleiben, doch er kehrte pflichtschuldig in sein Herkunftsland zurück, um hier die lokalen und beschränkten Einrichtungen kritisieren zu können. Gewiß eine nützliche Figur, aber keinesfalls das einzige oder beste Modell eines Gesellschaftskritikers.

Ich möchte ein alternatives Modell vorschlagen, auch wenn ich keine Absicht habe, den leidenschaftslosen Fremden oder den entfremdeten Einheimischen zu verbannen. Auch sie haben ihren Platz in der Geschichte der Kritik, doch spielen sie nur eine Nebenrolle und stehen im Schatten einer ganz anderen und weitaus vertrauteren Figur: Der Figur des örtlichen Richters, des mit seiner Gesellschaft verbundenen Kritikers, der seine Autorität aus der Auseinandersetzung mit seinen Gesellschaftsgenossen gewinnt (oder auch nicht gewinnt) – der mit Leidenschaft und ohne Unterlaß, manchmal mit hohem persönlichen Risiko (auch er kann ein Held sein) Einspruch erhebt, protestiert und Einwendungen macht. Dieser Kritiker ist einer von uns. Vielleicht hat er Reisen gemacht und im Ausland studiert, doch er beruft sich auf örtliche und vor Ort geltende Grundsätze; wenn er auf seinen Reisen neue Ideen gewonnen hat, so versucht er, diese mit der heimischen Kultur zu verknüpfen, wobei er sich auf seine ureigene Kenntnis stützen kann; er steht seiner Gesellschaft nicht mit intellektuellem Abstand gegenüber. Ebensowenig steht er im emotionalen Abstand zu ihr; er will nicht das Beste *für* die Einheimischen, sondern bemüht sich, ihr gemeinsames Unterfangen zum Erfolg zu führen. Das ist der Stil Alexander Herzens unter den Russen des neunzehnten Jahrhunderts (trotz Herzens langjährigem Exil im Westen), von Ahad Ha-am unter den osteuropäischen Juden, von Gandhi in Indien, von Tawney und Orwell in England. Gesellschaftskritik ist für solche Menschen eine interne Auseinandersetzung. Der Außenseiter kann nur dann ein *Gesellschafts*kritiker werden, wenn es ihm gelingt, (in die Gesellschaft) hineinzukommen, wenn er sich in die örtlichen Praktiken und Einrichtungen hineinzuversetzen vermag. Diese Kritiker stehen aber bereits innerhalb der von ihnen kritisierten Verhältnisse. Sie können im radikalen Abstand keinen Erkenntnisvorteil erblicken. Wenn es ihren Zielen zuträglich ist, können sie auf Abstand spielen und vorgeben, die eigene Gesellschaft durch die Augen eines Fremden zu sehen – so wie Montesquieu in den *Lettres persanes* durch die Augen des Usbek.[4] Aber der Gesellschaftskritiker ist Montesquieu, der Franzose mit den besten Verbindungen, nicht der Perser Usbek. Die *naiveté* des Persers ist nur eine Maske für die *finesse* des Franzosen.

Diese alternative Beschreibung trifft auf die große Mehrzahl der Männer und Frauen zu, die wir mit guten Gründen Gesellschaftskritiker nennen können. Aber sie gilt als philosophisch unanständig. Ich werde ihre Ehrbarkeit dadurch zu verteidigen versuchen, daß ich auf zwei legitime Befürchtungen erwidere, die man gegenüber dem (mit seiner Gesellschaft) verbundenen Kritiker hegt: Läßt ihm diese Verbindung überhaupt genug Raum für kritische Distanz? Und: Verfügt er über Maßstäbe, die gleichzeitig sowohl (gesellschafts)intern – also aus den Handlungs- und Verständnisweisen seiner eigenen Gesellschaft stammend – als auch wahrhaft kritisch sind?

Ich will mir zuerst die zweite Frage vornehmen. Gesellschaftskritik muß als eines der wichtigeren Nebenprodukte einer umfassenderen Tätigkeit angesehen werden – nennen wir sie die *kulturelle* Tätigkeit: die der kulturellen Erarbeitung und der Bekräftigung kultureller Werte. Das ist die Arbeit von Priestern und Propheten; von Lehrern und Weisen; von Geschichtenerzählern, Poeten, von Geschichtsschreibern und von Schriftstellern überhaupt. Sobald es diese Art von Leuten gibt, gibt es auch die Möglichkeit von Kritik. Nicht, daß sie eine Art beständig subversiver »neuer Klasse« darstellten[5] oder etwa die Träger einer »gegnerischen Kultur«. Sie tragen die gemeinsame Kultur; wie Marx behauptet, verrichten sie (unter anderem) die intellektuelle Arbeit für die herrschende Klasse. Aber solange sie *intellektuelle* Arbeit verrichten, eröffnen sie auch den Weg, auf dem in entgegengesetzter Richtung die Gesellschaftskritik voranschreiten kann.

Das von Karl Marx zuerst in der *Deutschen Ideologie* ausgearbeitete Argument ist hier hilfreich. Marxistische Gesellschaftskritik beruht auf einer großen Entdeckung – einer »wissenschaftlichen« Auffassung vom Sinn der Geschichte. Aber diese wissenschaftliche Auffassung ist nur möglich, weil dieser Sinn zum Greifen nahe liegt, weil seine Prinzipien bereits innerhalb der bürgerlichen Gesellschaft in Erscheinung treten. In anderen Gesellschaften beruhte die Kritik auf anderen Auffassungen, und der Marxismus versteht sich als allgemeine Bestandsaufnahme nicht allein der eigenen, sondern auch aller anderen kritischen Lehren. Warum in allen Gesellschaften Kritik eine beständige Möglichkeit darstellt, das liegt nach Marxens Darstellung daran, daß jede herrschende Klasse danach strebt, sich selbst als allgemeine Klasse darzustellen.[6] Aus der bloßen Selbstbestätigung allein erwächst ihr noch keine Legitimität. Obwohl sie selbst im Klassenkampf befangen und um jeden möglichen Sieg bemüht sind, behaupten die Herrschenden doch gleichzeitig, über den Kämpfen zu stehen und Hüter des Gemeinwohls zu sein: so, als ginge es ihnen nicht um Sieg, sondern um Überwindung des Streites. Diese Selbstinterpretation der Herrschenden wird ausgearbeitet von den Intellektuellen. Deren Arbeit ist zwar apologetischer Natur, aber ihre Apologie fällt so aus, daß sie für künftige Gesellschaftskritiker bereits die Argumente bereitstellt. Sie setzt nämlich Maßstäbe, denen die Herrschenden nicht gerecht werden und aufgrund ihrer partikularistischen Interessen nicht gerecht werden können. Man könnte zwar sagen, diese Maßstäbe selbst verkörperten die Interessen der herrschenden Klasse, aber sie tun dies nur in universalistischer Verkleidung. Und damit verkörpern sie auch die Interessen der Unterklassen, andernfalls wäre die Verkleidung nicht überzeugend. Ideologie strebt also nach Universalität als einer Bedingung für ihren Erfolg.

Der italienische Marxist Antonio Gramsci liefert eine nützliche, wenngleich skizzenhafte Analyse dieser doppelten Verkörperung. Jede hegemoniale Kultur ist, wie Gramsci behauptet, eine komplexe politische Konstruktion. Die Intellektuellen, die sie zusammenzimmern, sind mit Feder und Tinte bewaffnet, nicht mit Schwertern und Bajonetten; sie müssen die Ideen, für die sie streiten, unter Männern und Frauen vertreten, die selbst über eigene Ideen verfügen.

> Die Tatsache der Hegemonie setzt ohne Zweifel voraus, daß den Interessen und Tendenzen der Gruppen Rechnung getragen wird, über die die Hegemonie ausgeübt werden soll; sie setzt also voraus, daß sich ein gewisses Gleichgewicht des Kompromisses bildet, daß also die führende Gruppe auf ökonomisch-korporativem Gebiete Opfer bringen muß.[7]

Aufgrund dieser Opfer werden innerhalb der herrschenden Ideen Widersprüche eingebaut, und so findet die Kritik immer einen Ausgangspunkt innerhalb der herrschenden Kultur. Die Ideologie der Oberklassen birgt in sich selbst gefährliche Kritikmöglichkeiten.

Gramscis Genosse in der italienischen Kommunistischen Partei, Ignazio Silone, beschreibt die Wurzeln von radikaler Kritik und revolutionärer Politik mit exakt denselben Begriffen. Wir beginnen damit, schreibt er,

> daß wir die Grundsätze ernst nehmen, die Eltern, Lehrer oder Priester uns verkünden. Auf diesen Grundsätzen soll angeblich unsere Gesellschaft aufgebaut sein, aber wenn man sie ernst nimmt und als Maßstab verwendet, um zu überprüfen, wie die Gesellschaft heute (...) organisiert ist, dann wird offenkundig, daß es einen radikalen Widerspruch zwischen beiden gibt. Unsere Gesellschaft beachtet diese Grundsätze allesamt nicht (...). Für uns aber sind sie eine ernste und heilige Sache (...), auf ihnen beruht unser innerstes Leben. Die Art und Weise, in der die Gesellschaft sie ausschlachtet, als Maske und Werkzeug zur Täuschung und Verdummung des Volkes benutzt, erfüllt uns mit Wut und Empörung. So wird man ein Revolutionär.[8]

Gramsci selbst beschreibt einen etwas komplexeren Prozeß, der scheinbar ohne die Motivationskraft der Empörung einsetzt; doch er beginnt an derselben Stelle. Radikale Kritiker, sagt er, setzen innerhalb der alten Ideologie eine Verschiebung in Gang:

> einen Prozeß der Unterscheidung und Veränderung im relativen Gewicht, das die Elemente der alten Ideologie besaßen: Was zuvor zweitrangig und untergeordnet war (...), wird jetzt zum Kern eines neuen ideologischen und theoretischen Gebildes.[9]

So entstehen neue Ideologien aus alten durch Interpretation und Revision. Sehen wir uns ein konkretes Beispiel an.

Denken wir an die Rolle der Gleichheit im bürgerlichen Denken und dann im späteren kritischen Denken. Wenn man sie in marxistischer Begrifflichkeit als das Credo der siegreichen Mittelklassen auffaßt, dann hat die Gleichheit eine sehr enge Bedeutung. Sie bezieht sich, etwa unter den französischen Revolutionären, auf die Gleichheit vor dem Gesetz, auf Karrieremöglichkeit für alle Begabungen und so fort. Sie beschreibt (und verhüllt zugleich) die Wettbewerbsbedingungen im allgemeinen Rennen nach Reichtum und Würden. Radikale Kritiker finden großen Gefallen daran, die Grenzen dieser Gleichheit »vorzuführen«: Sie garantiert – wie Anatole France schrieb – allen Männern und Frauen das gleiche Recht, unter den Brücken von Paris zu schlafen. Aber das Wort ›Gleichheit‹ hat umfassendere Bedeutungen – und hätte es diese nicht, wäre es von geringerem Nutzen –, die zwar innerhalb der herrschenden Ideologie untergeordnete Elemente bleiben, aber niemals völlig verschwinden. Diese weiteren Bedeutungen haben, um einen Gramscischen Ausdruck zu verwenden, den Charakter von Konzessionen, von »Opfern«; mittels ihrer wenden sich die Mittelklassen an die Erwartungen der Unterklassen. Wir alle sind Bürger hier, behaupten sie; und keiner ist besser als der andere. Ich will die Aufrichtigkeit dieser Hinwendung (zu den Unterklassen) wenigstens für einen Teil derjenigen, die diese Wendung vollziehen, nicht unterschätzen. Wären sie nicht aufrichtig, so hätte die Gesellschaftskritik weniger Biß, als sie tatsächlich hat. Der Kritiker stützt sich auf diese weiteren Bedeutungen der Gleichheit, die in der tagtäglichen Erfahrung weit eher verhöhnt als widergespiegelt werden. Er verurteilt die kapitalistische Praxis, indem er sich auf einen der Schlüsselbegriffe beruft, mit dem ursprünglich der Kapitalismus verteidigt wurde. Den Herrschenden zeigt er die idealisierten Gemälde, die ihre Künstler gemalt haben, und dann weist er auf die gelebte Wirklichkeit von Macht und Unterdrückung hin. Oder, besser gesagt, er interpretiert die Bilder und die Wirklichkeit, denn keins von beiden erschließt sich unmittelbar. Gleichheit ist der Kampfruf der Bourgeoisie; (neu)interpretierte Gleichheit ist – in Gramscis Geschichte – der Kampfruf des Proletariats.

Es ist natürlich durchaus möglich, daß die (Neu)Interpretation des Kritikers nicht auf Zustimmung stößt. Vielleicht glaubt die Mehrheit der Arbeiter ja, daß die in der kapitalistischen Gesellschaft verwirklichte Gleichheit die wahrhafte Gleichheit – oder aber, daß sie genug an Gleichheit – darstellt. Marxisten nennen solche Auffassungen dann »falsches Bewußtsein« – und sie gehen dabei von der Annahme aus, daß

Gleichheit eine einzige wahre Bedeutung hat, wenn schon nicht für uns alle, so doch wenigstens für die Arbeiter, nämlich die Bedeutung, die ihren »objektiven« Interessen entspricht. Ich bezweifle, daß diese Sicht auf befriedigende Weise verteidigt werden kann. Die Arbeiter mögen durchaus falsch liegen, was die empirischen Fakten ihres Falls angeht: wie den tatsächlichen Grad an Einkommensunterschieden oder ihre realen sozialen Aufstiegschancen in kapitalistischen Gesellschaften. Wie aber können sie in bezug auf den Wert und die Bedeutung der Gleichheit für ihr eigenes Leben falsch liegen? Hier hängt die Kritik weniger von wahren (oder falschen) Tatsachenbehauptungen ab als von der evozierenden Kraft einer gemeinsamen Idee (oder dem Fehlen einer solchen Kraft). Die Diskussion geht über Bedeutung und Erfahrung; und ihre Ausdrücke sind ebenso von ihrem kulturellen Milieu bestimmt wie von ihrem sozio-ökonomischen Rahmen.

Aber nicht alle Debatten sind auf ähnliche Weise »interne« Diskussionen. Stellen Sie sich den Gesellschaftskritiker als marxistischen Parteigänger oder als christlichen Prediger vor, der (wie oben mein imperialer Richter) in ein fremdes Land kommt. Hier trifft er auf Eingeborene, deren Auffassung von der Welt und von ihrem eigenen Platz in der Welt – wie der Neuankömmling glaubt – radikal fehlerhaft sind. Er bemißt ihre Fehler an einem dieser Gesellschaft völlig äußerlichen Maßstab, den er gleichsam im Koffer mitgebracht hat. Wenn er also die örtlichen Praktiken in Frage stellt, so wird er das in Begriffen tun, die aller Wahrscheinlichkeit nach wenigstens zunächst für die Eingeborenen völlig unverständlich sein müssen. Das Verstehen setzt eine Bekehrung voraus, und die vorrangige Aufgabe des Neuankömmlings gegenüber den Einheimischen ist somit zuerst missionarischer Natur: ihnen eine überzeugende Darstellung einer neuen moralischen oder natürlichen Welt zu liefern. Er muß für die Eingeborenen wie ein Adler im Morgengrauen erscheinen – sie haben ihre eigenen Eulen. Erst *nachdem* sich die neuen Vorstellungen in ihrem neuen Milieu akklimatisiert haben, erst nachdem sie in das Geflecht der bestehenden Kultur eingewoben sind, können sich einheimische Kritiker ihrer bedienen (oder auch der Missionar selbst, wenn er sich ebenfalls akklimatisiert hat). Bekehrung und Kritik sind zwei grundverschiedene Tätigkeiten – so verschieden wie Eroberung und Revolution. Was die letzten beiden Ausdrücke in jedem dieser Paare auszeichnet – Kritik und Revolution –, ist ihr teilweise reflexiver Charakter. In der Sprache der Polizei handelt es sich bei beiden um »innere Feinde«.

Der Neuankömmling mag die lokalen Praktiken auch im Namen dessen kritisieren, was ich den Minimalcode genannt habe – und diese Art von Kritik könnte zwar nach Erläuterung verlangen, sie würde aber wahrscheinlich keine Bekehrung voraussetzen. Denken wir an das Beispiel der Spanier in Mittelamerika, die sich manchmal auf den Katholizismus, manchmal aber nur auf das Naturrecht beriefen. Natürlich hatten sie ein katholisches Verständnis des Naturrechts, aber sie könnten gleichwohl recht gehabt haben, wenn sie das Menschenopfer nicht deshalb verdammten, weil es im Gegensatz zur orthodoxen Lehre der Kirche stand, sondern weil es »wider die Natur« war. Vermutlich haben die Azteken sie nicht verstanden; und dennoch hatte ihr Argument nicht denselben Grad an Äußerlichkeit wie etwa die Argumente, die sich auf Leib und Blut Christi, das Sakrament der Kommunion usw. bezogen (es mag sich sehr wohl mit den Gefühlen oder gar Überzeugungen der Opfer verbunden haben).[10] In diesem Fall scheint allerdings die naturrechtliche Kritik, die spanische Missionare am Menschenopfer der Azteken übten, eher ideologischen Charakter gehabt zu haben und eher eine Rechtfertigung für äußere Eroberung als für interne Reform oder Revolution gewesen zu sein. Im nächsten Kapitel werde ich ein reineres Beispiel für eine »minimalistische« Kritik untersuchen.

Wenn Missionsarbeit und Bekehrung moralisch notwendig

sind, wenn der Marxismus oder der Katholizismus oder irgendein anderes entwickeltes Glaubenssystem den einzig richtigen Maßstab der Gesellschaftskritik darstellen, dann war eine richtige Gesellschaftskritik in den meisten tatsächlich existierenden moralischen Welten unmöglich. Gleichwohl sind die für jede Art von Kritik notwendigen Ressourcen – und zwar auch für eine Kritik, die über die »minimalistische« Kritik hinausgeht – immer vorhanden: und zwar aufgrund dessen, was eine moralische Welt ausmacht – dessen, was wir tun, wenn wir sie aufbauen. Die marxistische Auffassung von Ideologie ist nur eine Version dieses Aufbaus der moralischen Welt. Eine andere und für heutige Philosophen vertrautere Version könnte etwa folgendermaßen lauten: Was Männer und Frauen dazu antreibt, moralische Welten zu bauen und zu bewohnen, ist selbst ein moralisches Motiv – eine leidenschaftliche Suche nach Rechtfertigung. Manchmal kann nur Gott uns rechtfertigen, und dann wird die Moral wahrscheinlich die Gestalt einer Unterhaltung mit Gott annehmen oder einer Spekulation über die Maßstäbe, die er aus Gründen der Vernunft (oder anderen Gründen) an unser Verhalten anlegen mag. Diese göttlichen Normen werden jedenfalls hohe, also höchst kritische Maßstäbe sein; das Gefühl der Sünde entsteht teilweise aus dem Gefühl, daß wir diesen Standards niemals gerecht werden können.

In einem säkularisierten Zeitalter wurde Gott durch andere Menschen ersetzt. Heute werden wir, wie Thomas Scanlon schreibt, »durch ein Bedürfnis angetrieben, anderen gegenüber unsere Handlungen mit Gründen rechtfertigen zu können, die sie vernünftigerweise nicht abweisen können«.[11] (Wir würden unter Unseresgleichen keine Unvernunft dulden.) Nicht allein die Herrschenden wollen in den Augen ihrer Untertanen im Recht sein; wir alle wollen in den Augen aller anderen gerechtfertigt sein. Scanlon vermutet, dieses Bedürfnis werde ausgelöst von den moralischen Überzeugungen, die wir bereits besitzen. Das ist richtig, aber dieses Bedürfnis nach

Rechtfertigung ist auch selbst ein Auslöser für moralische Überzeugungen – und dann von moralischer Diskussion und Erfinderkraft. Wir versuchen, uns zu rechtfertigen, aber wir können uns nicht durch uns selbst rechtfertigen, und so nimmt die Moral Gestalt an als Gespräch mit bestimmten anderen Menschen, unsren Verwandten, Freunden und Nachbarn; oder sie nimmt die Form der Spekulation darüber an, welche Argumente diese Menschen von unserer Aufrichtigkeit überzeugen könnten oder sollten. Und weil wir unsere Nächsten kennen, können (und müssen) wir diesen Argumenten auch eine spezifische Überzeugungskraft geben: sie ähneln mehr dem Satz »Liebe Deinen Nächsten« (mit einem entsprechenden Glanz auf jedem dieser drei Worte) als der Maxime »Bleibe nicht gleichgültig gegenüber dem Leiden anderer«. Sie werden mit Bezug auf einen tatsächlichen und nicht allein spekulativen moralischen Diskurs ausgearbeitet: nicht eine Person alleine spricht, sondern viele, die sich unterhalten.

Wir erfahren die Moral als externen Maßstab, weil sie immer – und notwendigerweise – der Maßstab Gottes oder anderer Menschen ist. Und genau deshalb ist sie auch ein kritischer Maßstab. Ebenso, wie die entdeckten und erfundenen Moralauffassungen »von Anbeginn an« kritisch sind – sonst hätte ihre Entdeckung oder Erfindung ja keinerlei Verdienst –, so ist auch unsere alltägliche Moral von Anfang an kritischer Natur: sie rechtfertigt nur, was Gott oder andere Menschen als recht ansehen können. Wir wollen diese Anerkennung, auch wenn wir (manchmal) Dinge tun wollen, von denen wir wissen, daß sie nicht gerechtfertigt werden können. Die Moral befriedigt diese anderen Wünsche nicht, wenn es auch immer die Möglichkeit gibt, sie derart (um-) zu interpretieren, daß sie auch dazu paßt. Wir können uns eine derartige (Um)Interpretation als das private Pendant zur Ideologie im öffentlichen Raum vorstellen. Aber wir tragen unsere Ideologien voller Angst mit uns herum; sie sind gezwungen und wirken aufgesetzt; sie »klingen« falsch, und im Grunde warten wir nur darauf, daß uns ein verärgerter oder empörter Nachbar oder Freund oder früherer Freund dies mitteilt. (Und dieser unsere Selbstkritik anregende Nachbar oder Freund wäre dann gewissermaßen das private Pendant zum Gesellschaftskritiker im öffentlichen Raum.)

Diese Skizze unserer privaten Moral läßt sich auch auf die Ebene des kollektiven Zusammenlebens übertragen. Jede menschliche Gesellschaft liefert ihren Mitgliedern Maßstäbe für einen tugendhaften Charakter, für ein ehrenhaftes Verhalten, für eine gerechte gesellschaftliche Ordnung – oder vielmehr: sie verschaffen sich diese Maßstäbe im Medium ihrer wechselseitigen Rechtfertigung selbst. Diese Maßstäbe sind gesellschaftlich konstruiert; sie verkörpern sich in ganz verschiedenen Formen: in Gesetzestexten und religiösen Schriften, moralischen Erzählungen, epischen Gedichten, Verhaltensregeln, rituellen Praktiken. In allen diesen Gestalten sind sie Gegenstände von Interpretation, und diese Interpretation kann ebenso apologetischen wie kritischen Charakter annehmen. Es ist nicht etwa so, daß die apologetischen Interpretationen die »natürlichen« wären, daß also die moralischen Maßstäbe problemlos zu den sozialen Praktiken »paßten« und – wie in gewissen funktionalistischen Utopien – ihr reibungsfreies und bequemes Funktionieren unterstützten. Die Maßstäbe müssen vielmehr stets interpretiert werden, damit sie »passen«. Eine eindeutig apologetische Interpretation ist, erneut, eine Ideologie. Da sich nun die gesellschaftlichen Praktiken (ebenso wie die individuellen Praktiken) immer wieder widerspenstig an der Moral reiben, sind Ideologien immer problematisch. Wir wissen, daß wir nicht auf der Höhe der Maßstäbe leben, die uns rechtfertigen könnten. Und wenn wir dieses Wissen einmal vergessen sollten, dann taucht der Gesellschaftskritiker auf, um uns daran zu erinnern. Insofern die Moral so beschaffen ist, wie sie ist, stellt ihre kritische Interpretation die einzig »natürliche« dar. Wie George Bernard Shaws Engländer tut der Gesellschaftskritiker alles »aus

Prinzip«. Aber er ist eine ernsthafte, keine komische Figur, weil seine Prinzipien von uns geteilt werden. Sie sind nur scheinbar externe Prinzipien; in Wirklichkeit gehören sie zu demselben kollektiven Zusammenleben, das wir als kritikbedürftig wahrnehmen. Dieselben Männer und Frauen, die Unrecht tun, erschaffen und vertreten also auch die Maßstäbe, kraft derer sie (wenigstens manchmal) wissen, daß sie Unrecht tun.

Wie aber können wir bessere Interpretationen moralischer Maßstäbe von schlechteren unterscheiden? Natürlich kann sich der Kritiker irren; gute Gesellschaftskritik ist ebenso selten wie gute Poesie oder gute Philosophie. Oft ist der Kritiker leidenschaftlich, besessen oder rechthaberisch; sein Haß auf die Heuchelei seiner Mitmenschen mag diese Heuchelei selbst – »das einz'ge Übel, das unerkannt / auf Erden wandelt, außer für Gott«[12] – bei weitem übersteigen. Wie können wir das rechte Maß beurteilen? Oder die rechte Perspektive der Kritik? Einige kritische Interpretationen der bestehenden Moral blicken zurück, wie die Catos[13]; einige blicken nach vorn, wie die von Karl Marx. Ist die eine Blickrichtung besser als die andere?

Ich habe meine eigene Antwort – oder vielmehr meine Nicht-Antwort – auf derartige Fragen bereits angedeutet: Solche Fragen versuchen, die moralische Diskussion ein für allemal abzubrechen, aber diese Diskussion hat kein Ende. Sie hat nur zeitweilige Endpunkte, und dies sind die Momente des moralischen Urteils. In einer passiven und dekadenten Gesellschaft mag es sehr wohl das Beste sein, den Blick zurück zu richten; in einer aktiven und vom Fortschrittsgeist getragenen Gesellschaft mag es das Beste sein, vorwärts zu schauen. Aber dann werden wir uns sogleich über die Bedeutung von Dekadenz und Fortschritt auseinandersetzen müssen. Kann sich der Kritiker diesen endlosen Auseinandersetzungen nicht entziehen? Kann er sich nicht von den Bedingungen freimachen, die auch zu Besessenheit und Rechthabertum führen? Kann er keine objektive Lesart der moralischen Erfahrung vorlegen? Und wenn er all dies nicht tun kann, wäre es da nicht angemessener, von ihm zu sagen, er sei wütend oder ressentimentbeladen, statt ihm den Ehrentitel des *Kritikers* – denn »kritisch« ist eine ehrenvolle Auszeichnung – zuzugestehen?

Kritik erfordert kritische Distanz. Was aber bedeutet das? Nach der herkömmlichen Auffassung spaltet die kritische Distanz das Selbst des Kritikers; wenn wir (im Geiste) Abstand von unserem alltäglichen, in die Gesellschaft involvierten Selbst nehmen, so erschaffen wir ein *doppeltes Selbst.* Das erste Selbst bleibt weiterhin involviert, es hat seine Verpflichtungen und seine bornierten Ansichten, es empört sich wie jede(r) von uns; das zweite Selbst hingegen ist abgehoben, leidenschaftslos, unparteilich und beobachtet dann aus dieser ruhigen Position sein erstes Selbst. Nun behauptet die konventionelle Auffassung, daß das ›Selbst Nr. 2‹ dem ›Selbst Nr. 1‹ überlegen ist – jedenfalls in dem Sinne, daß seine Kritik verläßlicher und objektiver ist und uns mit höherer Wahrscheinlichkeit die moralische Wahrheit über die Welt verkünden kann, in der der Kritiker ebenso lebt wie wir alle. (Gäbe es ein noch objektiveres ›Selbst Nr. 3‹, wäre das noch besser.) Diese Sicht ist – zumindest für ›Selbst Nr. 2‹ – plausibel: Schließlich haben wir alle schon die Erfahrung machen können, daß wir uns mit Unbehagen, Scham oder Bedauern an Gelegenheiten erinnern, in denen wir uns schlecht benommen haben. Wir bilden uns (aus einem gewissen Abstand) ein bestimmtes Bild von uns selbst, und das Bild fällt schmerzlich für uns aus. Aber dieses Bild von uns selbst ist zumeist ein Bild, wie wir von Leuten, deren Meinung wir hoch schätzen, (an)gesehen werden (oder denken, angesehen zu werden). Wir blicken auf uns selbst also nicht von »keinem bestimmten Standpunkt« aus zurück, sondern vom Standpunkt bestimmter anderer Leute – aus einer zwar moralisch, aber nicht erkenntnistheoretisch privilegierten Position. Wir wenden

Maßstäbe, die wir mit anderen Menschen teilen, auf uns selbst an. Gesellschaftskritik geht anders vor: hier wenden wir Maßstäbe, die wir mit den anderen teilen, *auf die anderen* an, auf unsere Mitbürger, Freunde und Feinde. Wir erinnern uns nicht mit ungutem Gefühl; wir blicken voller Ärger um uns. Es mag sein, daß ein aus der herrschenden Klasse stammender Kritiker lernt, die Gesellschaft durch die Augen der Unterdrückten zu sehen, aber einer der Unterdrückten, der mit seinen eigenen Augen sieht, ist deshalb nicht weniger ein Gesellschaftskritiker. Natürlich wird er in Auseinandersetzungen darüber verwickelt werden, was er zu sehen behauptet und welche Maßstäbe er bei seiner Sicht anlegt. Aber diese Streitgespräche wird er nicht dadurch gewinnen können, daß er aus seiner Position zurücktritt; er kann nur erneut sprechen, seine Kritik umfassender ausführen und deutlicher machen.

Die herkömmliche Sichtweise von Gesellschaftskritik geht implizit von der Hoffnung aus, die moralische Auseinandersetzung könne ein für allemal gewonnen werden. Daher führt sie jene heroische Gestalt ein: den völlig leidenschaftslosen Beobachter, der als eine Art *Passe-partout*-Gesellschaftskritiker für jede Gelegenheit verstanden wird. Wir könnten allerdings die Gegenfrage stellen, ob eine derartige Person überhaupt ein Kritiker ist – oder nicht vielmehr ein radikaler Skeptiker oder ein bloßer Betrachter oder jemand, der, wie die griechischen Götter, von außen spielerisch ins gesellschaftliche Zusammenleben eingreift. Vielleicht stellen ja ›Selbst Nr. 1‹ und ›Selbst Nr. 2‹ gar nicht zwei verschiedene Ebenen moralischer Autorität dar, sondern nur zwei unterschiedliche Einstellungen zur Welt. Arthur Koestler hat eine derartige These aufgestellt, wenn er schreibt, es gebe »zwei parallele Ebenen unseres Geistes, die man getrennt halten sollte: die Ebene der abgelösten Kontemplation im Zeichen der Unendlichkeit und die Ebene des Handelns im Namen bestimmter ethischer Imperative«. Koestler glaubt, daß diese beiden Ebenen im Widerspruch zueinander stehen. So kündigt er heroisch den bevorstehenden Untergang der europäischen Zivilisation an: »Das ist sozusagen meine kontemplative Wahrheit. Wenn ich mit Abstand auf die Welt blicke (...), finde ich dies nicht einmal beunruhigend. Aber ich glaube nun einmal an das ethische Gebot, das Übel zu bekämpfen.«[14] Gesellschaftskritik gehört als Frage ethischer Gebote eindeutig zur »Ebene des Handelns«. Es ist seltsam, daß bei Koestler die kontemplative Ebene so viel melodramatischer daherkommt. Jedenfalls sind Koestler zufolge kontemplative Männer und Frauen keine Kritiker.

In seiner Verteidigung des ›abgehobenen‹ Standpunkts betont nun Thomas Nagel, daß der Beobachter aus seinem Abstand (das ›Selbst Nr. 2‹) vom Niedergang seiner Zivilisation oder von irgendwelchen Ereignissen in der wirklichen Welt gar nicht unbeeinflußt bleiben muß, da er ja die moralischen Überzeugungen und Motivationen seines ›Selbst Nr. 1‹ nicht aufzugeben braucht. Ich vermag jedoch nicht zu sehen, wie er diese Überzeugungen und Motive noch in derselben Weise erleben kann, sobald er die moralische Welt, in der sie ihre unmittelbare Bedeutung erhalten, einmal verlassen und sich selbst von der Person distanziert hat, für die diese Beweggründe wirklich sind. »Wenn wir den objektiven Standpunkt übernehmen« – schreibt Nagel, als wolle er diese Skepsis noch bekräftigen –, »besteht das Problem nicht etwa darin, daß die Werte verschwinden, sondern daß es anscheinend viel zu viele Werte gibt, die aus dem tagtäglichen Leben aller anderen Menschen kommen und die Werte unseres eigenen Alltagslebens überschwemmen.«[15] Ich gebe zu, daß auch dies noch ein Erfahren von Werten ist, wenngleich eine nicht ganz gewöhnliche Erfahrung, und daß ›Selbst Nr. 2‹ irgendwie bestrebt ist, aus dem Schwall der konfligierenden Werte diejenigen auszuwählen, die ihm jetzt als die besten erscheinen – seien es nun die Werte seines ›Selbst Nr. 1‹ oder nicht. Würde er sich aber leidenschaftlich dazu verpflichtet fühlen, diese Werte unter bestimmten zeitlichen und räumlichen Umständen auch zu verteidigen? Sicher liegt eines der klassischen Motive, die Position des Abstands zu suchen, darin, den eigenen leidenschaftlichen Bindungen entfliehen zu wollen (um sich, wie Koestler sagt, der Kontemplation im Zeichen der Unendlichkeit hinzugeben). Und wenn das so ist, dann wird ein Kritiker, der seine Gesellschaft betrachtet, notwendigerweise kritischer sein als ein Kritiker, der sich selbst beobachtet, wie er die Gesellschaft betrachtet.[16]

Aber es gibt noch eine andere Möglichkeit. Wenn die Wirkung des Abstandes darin besteht, daß die Werte, die aus dem eigenen Leben des Kritikers in seiner eigenen Zeit und Gesellschaft entstehen, im wörtlichen Sinne »überschwemmt« werden, dann könnte sich auch der Weg für ein weitaus radikaleres Unterfangen auftun, als es die bisher von mir beschriebene Gesellschaftskritik darstellt. Das wäre ein Unternehmen, das eher der Bekehrung und Eroberung ähnelte: die totale Ersetzung der Gesellschaft, zu der der Kritiker Abstand gewonnen hat, durch irgendeine andere (vorgestellte oder wirkliche) Gesellschaft. Offenkundig hängt die Ersetzung von der Kritik dessen ab, was ersetzt werden soll. Ich will diese Möglichkeit nicht *ex definitione* – dieses oder jenes *ist* Gesellschaftskritik – ausschließen. Aber sie ist in der Regel eine moralisch wenig attraktive Form von Gesellschaftskritik, jedenfalls keine, deren »Objektivität« wir bewundern sollten.

An diesem Punkt mag es nützlich sein, einige historische Beispiele, wenn auch nur kurz, zu erörtern. Mein erstes Beispiel ist John Locke und sein wohlbekannter und zu Recht bewunderter *Letter Concerning Toleration*. Dieser ist offenkundig ein kritischer Text, auch wenn er 1689, dem Jahr des Toleration Act, veröffentlicht wurde und dessen Prinzipien verteidigt. Der *Letter* war einige Jahre zuvor verfaßt worden, als Locke in Holland im Exil lebte, und zielte auf die damals noch verbreiteten Auffassungen der politischen Elite Englands. Mehr noch, Lockes »Brief über Toleranz« verteidigt eine revolutionäre Idee; er kennzeichnet einen wichtigen Wendepunkt, denn das Europa, das aus den langen Jahrhunderten religiöser Verfolgung hervorging, war ein anderes als das Europa zuvor. Wie arbeitet die Kritik in einem derartigen Moment des Übergangs?

Man könnte Lockes Exil als eine Art von Abstand von der englischen Politik ansehen, zumindest von der etablierten und herkömmlichen Politik. Das Exil, so könnten wir sagen, bedeutet im Wortsinne die Herstellung kritischer Distanz. Nun war allerdings auch Holland kaum das Reich der Objektivität, und Lockes Aufenthalt auf holländischem Boden stellte keineswegs irgendeinen philosophischen »Schritt zurück« aus seiner gesellschaftlichen Position dar. Holland muß Locke als ein (leicht) fortgeschritteneres England erschienen sein, solide protestantisch und der Toleranz verpflichtet. Politische Flüchtlinge fliehen nicht einfach irgendwohin; wenn sie können, wählen sie ihr Refugium aus, indem sie Maßstäbe anlegen, die sie bereits kennen und nach Freunden und Verbündeten Ausschau halten. So verband Lockes Exil ihn eher noch mehr als zuvor mit den politischen Kräften, die in England die »Tyrannei« der Stuarts bekämpften. Es verpflichtete ihn zu einer Parteinahme. Und wenn er die Partei der religiösen Toleranz ergriff, so tat er dies in Begriffen, die seinen politischen Freunden vertraut waren. Lockes *Letter* ist ein parteiliches Pamphlet, ein Manifest der *Whigs*.

Aber er ist mehr als das. Lockes Argumente begründen zwar den Rahmen des politischen Diskurses für das nächste Jahrhundert oder darüber hinaus; und doch blickt er, am entscheidenden Punkt seines *Letter* angekommen, entschlossen zurück und beruft sich auf eine Vorstellung, die in der Politik der *Whig*-Partei oder den Philosophien der Aufklärung kaum eine Rolle spielt – nämlich die Vorstellung der persönlichen Erlösung. Locke beruft sich auf die Bedeutung, die der Erlösungsgedanke in der protestantischen Lehre und Praxis besitzt. »Es ist vergeblich« – schreibt er –, »wenn ein Ungläubiger dem äußeren Anschein nach das Bekenntnis eines anderen Menschen übernimmt. Der Glaube und die innere Aufrichtigkeit allein sind es, die uns den Zugang zu Gott ebnen.« Der *Letter* liefert eine spezifische – aber keine idiosynkratische oder von weit hergeholte – Lesart der lutheranischen und calvinistischen Theologie. In keiner Hinsicht ruft er dazu auf, diese Theologie oder die moralische Welt des englischen Protestantismus durch eine andere zu ersetzen. Locke kommt zu einer Schlußfolgerung voller Stärke (die Rousseau offenbar kopiert, aber auch mißverstanden hat): »Die Menschen können nicht unabhängig von ihrem eignen Wollen oder Nicht-Wollen zum Heil gezwungen werden (...). Sie müssen ihrem eigenen Gewissen überlassen bleiben.«[17] Locke spricht hier nicht in der neuen Sprache von natürlichen Rechten; es ist noch sehr die alte Sprache der »Erlösung allein durch den Glauben«. Aber seine Zeilen sind ein Beispiel dafür, wie man vom Alten zum Neuen übergehen kann – nicht so sehr durch die Entdeckung von Rechten als durch die Interpretation von Glauben, »innerer Aufrichtigkeit« und Gewissen. (Daher war Lockes Gebrauch des neuen Vokabulars von Rechten auch für seine Zeitgenossen kein überraschender Sprung.) Wenn wir voraussetzen, was Erlösung bedeutet, oder besser: was wir unter Erlösung verstehen (wobei sich das ›wir‹ nicht alleine auf Lockes Genossen im Exil bezieht), dann kann die Verfolgung Andersgläubiger gerade den Zielen nicht dienen, die ihre Befürworter doch angeblich verfolgen. Sie ist ebenso eine Verletzung des moralischen Selbst wie des körperlichen – und nichts anderes.

Das Plädoyer für Toleranz erscheint uns heute als Musterbeispiel eines leidenschaftslosen Unterfangens. Religiöser Glaube – so glauben wir – führt zu Leidenschaft, Fanatismus und dann zu Verfolgung; Toleranz ist eher das Ergebnis von Skepsis und Interesselosigkeit. In der Praxis ist Toleranz wohl häufiger das Produkt von Erschöpfung: alle Leidenschaft ist erloschen, übrig bleibt nur noch die Koexistenz. Aber man kann sich leicht eine philosophische Verteidigung der Toleranz vorstellen, die von der Beobachterposition des Abstandes gegenüber dem Wahnsinn des Religionskriegs ausgeht. Der theologische Verfolgungseifer scheint irgendwie abgemildert, sobald wir aus der Position des Abstands den Wert eines jeden menschlichen Lebens anerkennen. Für viele Engländer des siebzehnten Jahrhunderts jedoch – und Locke war wahrscheinlich einer von ihnen – war der Wert jedes einzelnen menschlichen Lebens eng an die Vorstellung des Gewissens gebunden: an die göttliche Stimme in jedem von uns. Die Toleranz war selbst eine theologische Frage; und die Toleranzforderung war innerhalb der beständigen Religionskriege eine Position unter anderen, die mit nicht weniger Eifer verteidigt wurde als diese anderen. Der Abstand könnte zwar ein (distanziertes) Argument für diese Position liefern; er gibt uns jedoch keinen Grund (oder jedenfalls nicht Lockes Grund) dafür, diese Position einzunehmen. In der Tat könnte die Betonung des kritischen Abstands hier in die Irre führen, wenn sie uns den substantiellen Charakter des Lockeschen Arguments verfehlen läßt und wir dann seinen geistigen Standort verkennen: Locke erhebt sein Plädoyer für Toleranz innerhalb und nicht außerhalb einer Tradition theologischer Diskussion, innerhalb und nicht jenseits des politischen Gerangels.

Opposition ist es, weit mehr als Abstand, die die Haltung der Gesellschaftskritik bestimmt. Der Kritiker ergreift in aktuellen oder latenten Konflikten Partei; er stellt sich gegen die vorherrschenden politischen Kräfte. Als Ergebnis wird er manchmal in fremde Länder ins Exil getrieben oder in jene innere Emigration, die wir »Entfremdung« nennen. Ich gebe zu, es ist schwer, sich einen John Locke als entfremdeten Intellektuellen vorzustellen, so zentral ist er für unsere politische Tradition. Obwohl er seine Schriften zu politischen und religiösen Streitfragen anonym verfaßte und sich damit den Raum für seinen eigenen Radikalismus erhielt, so kultivierte er dennoch die Position des mitten in der Gesellschaft verankerten Kritikers. So bezieht er sich etwa im *Second Treatise on Government* auf den »scharfsinnigen« Konservativen Richard Hooker[18]; und stets fordert er die Leser dazu auf, seine eigene Scharfsinnigkeit zu bewundern. Das war zweifellos eine Sache der Klugheit, von Lockes Temperament, aber auch von Glück: Lockes politische Freunde waren mächtige Leute, und er mag gespürt haben, daß sein Exil nur von kurzer Dauer sein würde (was es dann auch war). Scharfsinnig, also wohlunterrichtet zu sein, war da eine weise Entscheidung. Als sein *Letter Concerning Toleration* veröffentlicht wurde, waren seine Freunde an der Macht. Wir müssen uns also weniger vom Glück bedachte Kritiker ansehen, deren Opposition weitaus länger andauerte und verbitterter war. Es ist nicht so, daß solche Kritiker eine Position des Abstands erreichen – weit gefehlt –, aber ihre Verbindung zu den gemeinsamen Werten und argumentativen Traditionen ihrer Gesellschaft ist weitaus problematischer als die John Lockes. Sie stehen unter der Versuchung, eine ganz andere Art Abschied von ihrer Gesellschaft zu nehmen als ihn die philosophische Vorstellung des »Zurücktretens« in eine Position des Abstands nahelegt – und die sich auch vom Lockeschen Exil völlig unterscheidet. Solche Kritiker sind versucht, den Kriegszustand zu erklären – und dann in die Reihen der Feinde überzuwechseln.

Die einfachsten Beispiele dafür kommen aus der Kriegsgeschichte selbst, vor allem aus der Geschichte von Interventions- und Kolonialkriegen. Zunächst aber will ich kurz auf die marxistische Auffassung von Ideologie und Klassenkampf zurückkommen. Eines der größten Versagen des Marxismus besteht darin, daß weder Marx selbst noch einer seiner Hauptnachfolger jemals eine moralische und politische Theorie des Sozialismus ausgearbeitet haben. Ihre Ausführungen liefen zwar auf die Annahme einer sozialistischen Zukunft – ohne Unterdrückung und Ausbeutung – hinaus, aber die präzise Gestalt dieser Zukunft wurde kaum jemals diskutiert. Wenn

Marxisten Gesellschaftskritik betrieben (statt gelernte Analysen über die Bewegungsgesetze der kapitalistischen Entwicklung zu wiederholen), dann lieferte ihnen diese Annahme einer unvermeidlichen sozialistischen Zukunft zwar einen beruhigenden Hintergrund. Doch die Stärke ihrer Kritik rührte daher, daß sie die Heuchelei des Bürgertums vorführen konnten – so in Marxens ätzendem Kommentar zu den englischen Apologeten des Zwölf-Stunden-Arbeitstags und der Sieben-Tage-Woche: »In diesem Lande der Sabbat-Heiligen!«[19] Marxisten haben niemals die Art von Neuinterpretation der bürgerlichen Ideen vorgenommen, die Gramscis »neues ideologisches und theoretisches Gebilde« hätte hervorbringen können. Der Grund für dieses Versagen liegt in ihrer Auffassung des Klassenkampfs als eines wirklichen Krieges, in dem ihre Aufgabe als Intellektuelle einfach darin bestand, die Arbeiter zu unterstützen. Implizit und manchmal explizit lehnten sie die Vorstellung von Gesellschaftskritik als kollektiver Reflexion über das kollektive Zusammenleben ab; denn sie leugneten die Wirklichkeit des kollektiven Lebens, d.h. gemeinsamer Werte und einer gemeinsam geteilten Tradition. Sogar Marxens kurze Bezugnahme auf die Heiligkeit der Sabbatruhe könnte ein Hinweis darauf sein, wie töricht eine solche Leugnung ist – und doch ist diese Leugnung einer für beide kämpfenden Klassen gemeinsamen moralischen Welt eine der wichtigsten Triebkräfte des Marxismus. Steht sie doch für den wesentlich polemischen und agitatorischen Charakter der marxistischen Kritik und die beständige Bereitschaft, die »Waffe der Kritik« zugunsten der »Kritik der Waffen« preiszugeben.

In gewissem Sinne ist es somit falsch, Marxisten als Kritiker der bürgerlichen Gesellschaft zu bezeichnen, denn das Wesen ihrer Politik liegt nicht darin, die Bourgeoisie zu kritisieren, sondern sie umzustürzen. Sie sind jedoch Kritiker der Arbeiter – jedenfalls in dem Maße, wie die Arbeiter ideologisch Gefangene der bürgerlichen Gesellschaft sind und daher ihre historische Rolle als Träger dieses Umsturzes nicht erfüllen können. Die Marxisten erklären dieses Unvermögen dann vermittels der Theorie vom falschen Bewußtsein, die man als die marxistische Einstellung zu gemeinsamen Werten ansehen kann. Die Theorie erkennt diesen gemeinschaftlichen Charakter zwar an, behandelt ihn jedoch als eine Art kollektiver Fehlleistung – und verpaßt auf diese Weise die kritische Chance, den Sozialismus in sozial geltenden und verständlichen Begriffen zu beschreiben. Die einzige Alternative, die dann noch bleibt, besteht darin, ihn überhaupt nicht zu beschreiben. Warum aber sollten die Arbeiter *dafür* ihre Haut riskieren? Marx hätte besser daran getan, wenn er seine eigene Metapher von der neuen Gesellschaft, die im Schoß der alten heranwächst, ernst genommen hätte.

Aber immerhin sind die marxistischen Theoretiker ziemlich konsequente und konsistente Kritiker der Ideologie der Arbeiterklasse und dann der Organisationen und der Strategie der Arbeiterbewegung gewesen. Es gibt noch einen anderen Weg, zum Feind überzulaufen, der die Kritik völlig preisgibt. Nehmen wir den Fall Jean-Paul Sartres und des Algerienkriegs. Sartre verkündete, der Intellektuelle sei ein permanenter Kritiker. Durch seine Suche nach Universalität trennt er sich von seiner Herkunftsklasse und schließt sich der Bewegung der Unterdrückten an. Aber auch in ihr kann er nicht völlig aufgehen und sich assimilieren: Er »darf niemals aufhören, Kritik zu üben, damit der Zweck (sc. das Ziel der Bewegung der unterdrückten Massen) seine grundsätzliche Bedeutung behält«. Er ist der »Wächter über die historischen Ziele der Massen«[20] in der »Universalisierungsbewegung des Volkes«[21] – d. h. über die universalistischen Werte. Der Intellektuelle erreicht dieses sein Wächteramt durch eine Sartresche Version des »Zurücktretens« aus seiner sozialen Situation, d. h. dadurch, daß er sich beständig durch »permanente Selbstkritik« radikalisiert und kritisiert. Aber dieser Weg zum Allgemeinen ist gefährlich. Nachdem er nämlich seine »klein-

ROTBUCH VERLAG HERBST 1990

Erzählung
gebunden, mit Schutzumschlag
112 Seiten, DM 24,–

Birgit Vanderbeke
Das Muschelessen

Ingeborg-Bachmann-Preis 1990

»Hexenkessel eines Vater-Mutter-Kinderlebens. ›Ein Gang um die Hausecke ist angetan, einen wahnsinnig zu machen‹, habe Ich bei Ingeborg Bachmann gelesen. Dieser Wahnsinn ist der neuen Preisträgerin bekannt.« *Verena Auffermann, Süddeutsche Zeitung*

Roman
aus dem Französischen
von H. L. Theweleit
gebunden, mit Schutzumschlag
ca. 144 Seiten, ca. DM 29,–

Tahar Ben Jelloun
Harrouda

Harrouda, die Hexe, die Verworfene, die Hure. Als Phantasiegestalt und Inbegriff des Weibes brennt sie sich in die Träume und Begierden der Jungen von Fez. *Tahar Ben Jelloun* wurde 1944 in Fez (Marokko) geboren. Studium der Philosophie in Rabat und der Psychologie in Paris. 1987 erhielt Jelloun als erster maghrebinischer Autor den *Prix Goncourt.*

bürgerlichen Reflexe«, wie Sartre sie nennt, abgelegt hat, wird sich der Intellektuelle aller Wahrscheinlichkeit ohne irgendwelche konkreten und substantiellen Werte wiederfinden. Universalität wird zu einer leeren Kategorie für ›dekonditionierte‹ Männer und Frauen, und so wird ihr Engagement für die Bewegung der Unterdrückten zu einer »vorbehaltlosen Verbindung«[22] (so sagt Sartre an einer Stelle, habe sie zu sein). Einmal rückhaltlos engagiert, wird der Intellektuelle jedoch bald erneut Spannung und Widersprüche erfahren: er bleibt somit auf unheilbare Weise »unwiderruflich gespalten in seinem Bewußtsein«.[23] In der Praxis jedoch mag das bedingungslose Engagement, sich ganz einer Sache zu verschreiben, sehr wohl ein Gefühl von Heilung vermitteln: es kann zumindest die Symptome von Ganzheit hervorbringen. Wir können das an Sartres eigenem Leben verfolgen; denn nachdem er sich der Sache der algerischen Nationalisten verpflichtet hatte, schien er unfähig dazu, auch nur ein einziges Wort der Kritik an ihren Prinzipien oder ihrer konkreten Politik zu äußern. So zielte er mit seinen Ideen nur in eine Richtung – wie ein Soldat sein Gewehr, allerdings wohl mit größerem Recht, nur in eine Richtung anlegen mag.

Natürlich war Sartre ein beständiger und mutiger Kritiker der französischen Gesellschaft – des Algerienkriegs und dann der französischen Kriegsführung, die er beide als notwendige Konsequenzen des französischen Kolonialismus ansah. Aber da er sich selbst als einen Feind und sogar als »Verräter« beschrieb – so, als akzeptierte er in charakteristischer *hauteur* die Anklage seiner Gegner auf der Rechten –, entzog er seinem Unterfangen selbst den Boden.[24] Einen Feind wird man nicht als Gesellschaftskritiker anerkennen; es fehlt ihm dazu der Standort. Wir erwarten von seiten unserer Feinde Kritik und diskreditieren diese zugleich. Und es ist dann besonders leicht, ihre Kritik zu entwerten, wenn sie zwar im Namen »universeller« Prinzipien geäußert wird, diese Prinzipien jedoch nur auf uns Anwendung finden sollen. Aber vielleicht sollten wir uns Sartres Selbstbeschreibung – und seine ausgearbeitete Darstellung der »Rolle« des Kritikers – als eine Art ideologischen Rauchvorhang vorstellen, hinter dem er und seine Freunde das ganz vertraute Geschäft der innenpolitischen Opposition betrieben. Sicher waren die Prinzipien, auf die er sich berief, in Frankreich wohlbekannt; dort hatten die Führer der algerischen Nationalisten sie schließlich gelernt. Französische Intellektuelle hatten es kaum nötig, aus ihrer Position »zurückzutreten« und sich einer »Selbstkritik« zu unterwerfen, um – sagen wir – das Ideal der Selbstbestimmung zu entdecken. Über diese Idee verfügten sie bereits selbst; sie brauchten sie nur noch anzuwenden – das heißt, ihre Anwendung auf Algerien auszudehnen. Was Sartre daran hinderte, diese Sichtweise seiner eigenen Tätigkeit zu übernehmen, war seine Auffassung der Kritik als Krieg. Nun war der Krieg real genug, aber die Kritik an diesem Krieg war ein gesondertes und davon verschiedenes Unterfangen. Bringt man beide zusammen, so wird die Kritik – wie im Falle Sartres – korrumpiert.

Es gibt also zwei Extreme (die Beschreibung ist zwar nicht ganz exakt, aber brauchbar): der philosophische Abstand und das Engagement des »Verräters«, zurückzutreten und überzulaufen. Das erste ist eine Vorbedingung zum zweiten; ein zu geringes Engagement für die eigene Gesellschaft führt zu einem Über-Engagement für eine theoretisch oder praktisch andere Gesellschaft (oder kann dazu führen). Die charakteristische Grundlage für Gesellschaftskritik ist der Boden, den ebenso der abgehobene Philosoph wie der Sartresche »Verräter« verlassen haben. Aber läßt dieser Grund überhaupt kritische Distanz zu? Er tut dies sehr wohl – sonst hätten wir weitaus weniger Kritiker, als wir tatsächlich haben. Die Kritik verlangt von uns nicht, aus der Gesellschaft insgesamt »zurückzutreten«, sondern nur, von einigen Formen der Machtverhältnisse innerhalb der Gesellschaft Abstand zu gewinnen. Es ist nicht die Verbindung (mit der Gesellschaft), von der wir uns zu distanzieren haben, sondern Autorität und Herrschaft (in der Gesellschaft). Die Randständigkeit *(marginality)* kann ein Weg sein, diese kritische Distanz herzustellen (oder sie zu erfahren); bestimmte Formen innerer Emigration stellen andere Wege dar. Ich neige zu der Annahme, daß irgend etwas in der Art ein allgemeines Erfordernis von intellektuellem Leben überhaupt darstellt, wie es in dem Rat heißt, den der talmudische Weise seinen Schülern gibt, die selbst einmal Weise werden wollen: »Liebet die Arbeit, versucht nicht, andere zu beherrschen und meidet allzu engen Umgang mit staatlichen Funktionären!«[25] Die tatsächliche Machtausübung und der machiavellistische Ehrgeiz, zum vertrauten Ratgeber des Fürsten zu werden: dies sind die wahrhaften Hindernisse für die Praxis der Kritik, weil sie es erschweren, die am meisten kritikbedürftigen Züge der Gesellschaft offenen Auges zu betrachten. Aber die Opposition gehört nicht zu den Hindernissen für Kritik, obgleich wir in der Opposition keinesfalls objektiver sind als an der Macht.

Stellen wir uns für einen Moment die kritische Distanz in den karikaturhaften und leicht komischen Kategorien des Lebensalters vor. Die Alten sind eher Kritiker vom Schlage eines Cato und meinen, seit ihrer Jugend sei alles ständig schlimmer geworden. Die Jungen sind eher Kritiker wie Marx einer war, und glauben, daß das Beste erst noch aussteht. Alter und Jugend – beide machen empfänglich für kritische Distanz; vermutlich liegen die unkritischen Jahre dazwischen. Aber die Prinzipien der Alten wie der Jungen stammen nicht aus ferner Distanz, und sie sind mit Gewißheit nicht objektiv. Die Alten erinnern sich an eine Zeit, die so lange noch nicht vergangen ist. Die Jungen sind frisch sozialisiert: wenn sie zudem (manchmal) radikal und idealistisch eingestellt sind, so sagt uns das etwas über die geistigen Inhalte ihrer Sozialisierung. Was für beide die kritische Einstellung möglich oder doch relativ leicht macht, ist eine bestimmte Art und Weise, in die örtlichen Formen des Gebens und Nehmens nicht (oder doch nicht völlig) involviert zu sein: also für die Lage der Dinge nicht verantwortlich und politisch nicht an der Macht zu sein. Die Alten mögen ihre Kontrollposition widerwillig abgegeben haben; die Jungen mögen voller Eifer danach streben, sie endlich zu erlangen. Aber ob sie wollen oder nicht, beide Gruppen stehen ein wenig im Abseits. Sie sind Kiebitze oder sie können den anderen in die Karten gucken.

Ein wenig abseits, aber keine Außenseiter: kritische Distanz ist eine Frage von Zentimetern. Obwohl die Alten wie die Jungen die wichtigsten ökonomischen oder politischen Unternehmungen ihrer Gesellschaft nicht kontrollieren, so stehen sie dem Erfolg – oder jedenfalls ihrem möglichen Erfolg – solcher Unterfangen doch nicht völlig unbeteiligt gegenüber. Sie wollen durchaus, daß die Dinge gut laufen. Das ist auch die Standardhaltung des Gesellschaftskritikers: Er ist kein abgehobener Beobachter, selbst wenn er auf die Gesellschaft, in der er lebt, mit frischem und skeptischem Auge blickt. Er ist kein Feind, selbst wenn er dieser oder jener herrschenden Praxis oder Institution in heftiger Opposition gegenübersteht. Für seine Kritik braucht er weder eine Position des Abstands noch eine der Feindschaft, findet er doch die Vollmacht für sein kritisches Engagement im Idealismus – und sei's auch ein heuchlerischer Idealismus – der tatsächlich existierenden moralischen Welt bereits vor.

Aber dies ist ein Porträt des Gesellschaftskritikers, wie er für gewöhnlich vorkommt; es ist nicht das Bild des idealen Gesellschaftskritikers. Ich gestehe, daß ich mir eine solche Person nicht vorstellen kann – jedenfalls dann nicht, wenn wir uns darunter einen einzigen Personentypus vorzustellen haben, mit einem einzig möglichen (objektiven) Standpunkt und einer (einzig richtigen) Reihe kritischer Prinzipien. Gleichwohl habe ich unter der Hand in mein Porträt einige Züge meines persönlichen Idealismus einschmuggeln können, der sich von den diversen (und je nach örtlicher Herkunft unterschiedlich ausfallenden) Idealismen tatsächlicher Gesellschaftskritiker unterscheidet. Ich habe – und dies allerdings ohne jede Vortäuschung – der Verbindung des Kritikers mit seiner Gesellschaft (positiven) Wert beigemessen. Aber warum sollte diese Verbindung generell von Wert sein, wo doch die Gesellschaften derart unterschiedlich sind? Natürlich funktioniert die Kritik am besten dann, wenn der Kritiker sich auf lokale Werte berufen kann – aber man kann deshalb nicht sagen, daß dem Kritiker, der dies nicht tun kann (oder will) deshalb jede Kritik unmöglich wäre. Nehmen wir den Fall der bolschewistischen Intellektuellen, den Gramsci in einigen glänzenden Sätzen zusammengefaßt hat:

> Eine aus einigen der aktivsten, energischsten, unternehmerischsten und diszipliniertesten Personen (sc. der russischen Gesellschaft) bestehende Elite emigriert ins Ausland und nimmt die Kultur und die historischen Erfahrungen der fortgeschrittensten Länder des Westens auf, ohne deshalb jedoch die wesentlichsten Eigentümlichkeiten ihrer eigenen Nationalität zu verlieren, d. h.: ohne die gefühlsmäßigen und historischen Verbindungen zum eigenen Volke abzubrechen. Nachdem sie so ihre intellektuelle Lehrzeit abgeschlossen hat, kehrt sie in ihr Heimatland zurück und zwingt das Volk zu einem gewaltsamen Erwachen, zu einem beschleunigten, die historischen Etappen überspringenden Vormarsch.[26]

Der Verweis auf die »gefühlsmäßigen Bindungen« ist notwendig, um zu erklären, warum diese unternehmungslustigen Intellektuellen nach Aufnahme der westlichen Kultur nicht einfach im Westen blieben. Sie erblickten die Sonne, aber sie gingen dennoch zurück in die Höhle. Einmal zurückgekehrt, schienen sie allerdings nicht sonderlich von sentimentalen Motiven bewegt zu sein. Sie hatten schließlich eine große Entdeckung – eher wissenschaftlicher als moralischer Natur – mitgebracht, um deretwillen sie eine weite Reise hatten machen müssen, und zwar nicht nur in räumlicher Hinsicht: Sie waren auch zeitlich vorgerückt (und zwar weit mehr als Locke in Holland). Dieser theoretische Vormarsch in die Zukunft war die Form ihres Abstands vom alten Rußland. Nun konfrontierten sie Rußland mit einer wahren Lehre, die keinerlei russische Wurzeln hatte. Natürlich stützte sich die Gesellschaftskritik der Bolschewiki sehr stark auf russische Verhältnisse und Auseinandersetzungen. Wie Lenin schrieb, war es notwendig, »alle Äußerungen der Unzufriedenheit zu nutzen, alle Körnchen eines, wenn auch erst aufkeimenden Protestes zu sammeln«[27] – und aufkeimender Protest ist im Gegensatz zur Entdeckung einer Doktrin immer ein lokales Phänomen. Aber diese Art von Kritik hatte krude instrumentellen Charakter. Die bolschewistischen Führer machten keine ernstliche Anstrengungen, sich selbst mit den gemeinsamen Werten der russischen Kultur zu verbinden. Und darum blieb ihnen, nachdem sie einmal die Macht ergriffen hatten, nichts anderes übrig, als »das Volk zu einem gewaltsamen Erwachen zu zwingen«.

Ich bin geneigt, von Lenin und seinen Freunden zu sagen, daß sie überhaupt keine Gesellschaftskritiker waren, weil ihre Schriften entweder verengt analytischer oder verengt propagandistischer Natur waren. Aber es ist wahrscheinlich besser, sie als schlechte Gesellschaftskritiker zu bezeichnen, die auf Rußland mit einem gewaltigen Abstand herabblickten und denen das, was sie da sahen, einfach nicht gefiel. Ebenso waren sie schlechte Revolutionäre; denn sie ergriffen durch einen *coup d'état* die Macht und regierten dann das Land so, als ob sie es erobert hätten. Die Gruppe der russischen Radikalen, die sich selbst Sozialrevolutionäre nannten, gibt hier einen guten Vergleichspunkt ab. Die Sozialrevolutionäre arbeiteten hart daran, die gemeinschaftlichen Werte der russischen Dorfgemeinde wiederzubeleben und so ein genuin russisches Argument gegen den neuen landwirtschaftlichen Kapitalismus zu konstruieren. Sie erzählten eine Geschichte über den *mir* (die russische Dorfgemeinschaft). Ich vermute, diese Geschichte war – wie die meisten derartigen Erzählungen – weitgehend ein Phantasiegebilde. Die Werte hingegen waren Wirklichkeit, d. h. sie wurden von den meisten Russen wiedererkannt und akzeptiert, auch wenn sie in keiner Institution mehr verkörpert waren (wenn sie dies überhaupt jemals gewesen waren). Und so entwickelten die Sozialrevolutionäre eine Kritik der gesellschaftlichen Verhältnisse im ländlichen Rußland, die über einigen (ich will nicht übertreiben) Reichtum, über detaillierte und nuancierte Argumente verfügte und die von den Leuten, um deren Verhältnisse es ging, auch verstanden werden konnte. Im Gegensatz dazu waren die Bolschewiki entweder unsensibel oder unaufrichtig; sie schwankten hin und her zwischen der marxistischen Theorie und einer opportunistischen Politik.

Das Problem der unverbundenen Kritik, also von Kritik, die sich von neu entdeckten oder erfundenen moralischen Maßstäben herleitet, besteht darin, daß sie ihre Praktiker entweder zur Manipulation oder zum Zwang drängt. Natürlich widerstehen viele diesem Drang; Abstand und Leidenschaftslosigkeit sind eingebaute Bremsen dagegen. Aber sofern der Kritiker wirksam werden will, also ein praktisches Ergebnis seiner Kritik nach Hause bringen will (selbst wenn dieses Zuhause in bestimmter Weise nicht mehr sein eigenes Zuhause ist), wird er sich zur einen oder anderen Version solch wenig anziehender Politik gedrängt finden. Aus diesem Grunde habe ich mich bemüht, sein Unterfangen von der kollektiven Reflexion einer Kritik *von innen* zu unterscheiden – oder von der, wie sie manchmal genannt wird, »immanenten Kritik«. Das Unterfangen des abgehobenen, distanzierten Kritikers ist eine Art asoziale Kritik, eine Intervention *von außen*: Ein Zwangsakt, der zwar der Form nach intellektuell ist, aber in seiner Verwirklichung auf physischen Zwang hinauslaufen kann. Vielleicht gibt es ja einige Gesellschaften, die derart in sich abgeschlossen, so rigide in ihre ideologischen Rechtfertigungsmuster eingeschlossen sind, daß sie tatsächlich asoziale

Kritik erfordern; weil einfach keine andere Art von Kritik möglich ist. Vielleicht – aber ich selbst glaube, daß man solche Gesellschaften eher in *Social Science Fiction* als in der wirklichen Welt antreffen wird.[28]

Manchmal aber wird der Kritiker in der wirklichen Welt selbst in eine Art Ungeselligkeit hineingetrieben, nicht, weil er neue moralische Maßstäbe entdeckt hätte, sondern weil er eine neue Theologie oder Kosmologie oder Psychologie entdeckt hat, die seinen Zeitgenossen unbekannt ist und sie gar provozieren muß, aus der jedoch moralische Argumente zu folgen scheinen. Sigmund Freud ist das beste moderne Beispiel für einen solchen Fall. Seine Kritik der Sexualmoral mag in der Tat – wie ähnliche spätere Kritiken – auf liberalen Vorstellungen von Freiheit und Individualität beruht haben. Freud argumentierte jedoch von seiner neu entdeckten psychologischen Theorie aus. Er war in der Tat ein großer Entdecker, ein Adler unter den Entdeckern, und weiter ein heroischer Kritiker repressiver Gesetze und Praktiken. Und dennoch würde eine Freudianische oder therapeutische Politik ebenso wenig anziehend, ebenso manipulativ ausfallen wie jede andere Politik, die auf dem Pfad der Entdeckung beruht und sich von den Formen des lokalen Verstehens abgelöst hat.

Es ist also eine gute Sache, daß weder Kritik noch oppositionelle Politik von derartigen Entdeckungen abhängt. Gesellschaftskritik ist weniger ein praktischer Abkömmling wissenschaftlichen Wissens als vielmehr der gebildete Vetter der gemeinen Beschwerde. Wir werden gewissermaßen auf natürliche Weise zum Sozialkritiker, indem wir auf der Grundlage der bestehenden Moral(auffassungen) aufbauen und Geschichten von einer Gesellschaft erzählen, die gerechter ist als die unsere, aber niemals eine völlig andere Gesellschaft.

Es ist besser, Geschichten zu erzählen – besser, obwohl es keine definitive oder beste Geschichte gibt, besser, obwohl es keine letzte Geschichte gibt, die, sobald sie einmal erzählt wurde, alle künftigen Geschichtenerzähler beschäftigungslos machen müßte. Ich kann gut verstehen, daß diese Unbestimmtheit wieder, und nicht ohne guten Grund, nach einer philosophischen Absicherung verlangt. Und daraus folgt dann der gesamte komplizierte philosophische Apparat des Abstands und der Objektivität, dessen Aufgabe nicht darin besteht, Kritik zu erleichtern, sondern ihre Korrektheit zu garantieren. In Wahrheit gibt es keine Garantie, ebensowenig, wie es keinen objektiven Garanten gibt. Und es gibt auch keine Gesellschaft, die darauf wartet, entdeckt oder erfunden zu werden, die auf unsere kritischen Geschichten verzichten könnte.

III
DER PROPHET ALS GESELLSCHAFTSKRITIKER

DIE SPANNUNGEN und Widersprüche, die ich bisher diskutiert habe – entdeckte oder erfundene Moral auf der einen und interpretierte Moral auf der anderen Seite; externe und interne Kritik; soziale Verbundenheit und kritische Distanz –, sind allesamt sehr alt. Sie sind keine Eigentümlichkeiten der Moderne; auch wenn ich sie in einem unzweifelhaft modernen Idiom beschrieben habe, so sind sie doch an anderen Orten und zu anderen Zeiten in anderen Idiomen beschrieben worden. Sie sind bereits in den allerersten Beispielen der Gesellschaftskritik vollständig sichtbar, und in diesem letzten Kapitel möchte ich zeigen, wie sie aussahen, als sie – jedenfalls in der westlichen Geschichte – wohl zum ersten Male in Erscheinung traten. Und wie ließe sich auch besser belegen, daß der verbundene Kritiker Fleisch von unserem Fleische ist, als dadurch, ihm den Namen Amos zu geben, also des ersten Propheten der Schrift und des zweifellos radikalsten Propheten Israels?

Ich werde versuchen, die Praxis des Prophetentums im alten Israel zu verstehen und zu erklären. Damit meine ich nicht die Persönlichkeit des Propheten; an der Psychologie der Inspiration oder der Ekstase bin ich nicht interessiert. Ebensowenig meine ich die prophetischen Texte; sie sind an vielen Stellen höchst dunkel, und ich verfüge nicht über die historischen oder philologischen Kenntnisse, die zu ihrer Entzifferung notwendig wären (oder um spekulative Lesarten der umstrittenen Passagen vorzuschlagen). Ich möchte die Prophetie als gesellschaftliche Praxis verstehen: nicht die Menschen oder die Texte, sondern die Botschaft, und auch ihre Aufnahme. Natürlich gab es auch vor den uns bekannten bereits andere Propheten: Seher und Wahrsager, Orakel und Hellseher; und es findet sich nichts sonderlich Rätselhaftes in ihren Botschaften oder ihrem Publikum. Wahrsagungen von Ruhm und Untergang werden immer Zuhörer finden, vor allem, wenn den Feinden der Untergang bestimmt ist und uns der Ruhm geweissagt wird. Die Leute sagen, nach Jesaja, »prediget uns aber sanft, schauet uns Täuscherei« (*Jes.*, 30.10), und genau das tun für gewöhnlich auch die professionellen Hofprediger und Tempelpropheten.[1] Erst wenn diese Weissagungen – wie das bei Amos erstmalig der Fall ist – in einen moralischen Rahmen gestellt werden, wenn sie Anlaß zur Empörung sind, wenn Prophezeiungen auch Provokationen darstellen, verbale Angriffe auf die Institutionen und Aktivitäten des täglichen Lebens, erst dann werden sie interessant. Dann wird es zum Rätsel, warum die Leute ihnen zuhören – und warum sie nicht allein zuhören, sondern die prophetische Botschaft abschreiben, bewahren und wiederholen. Die Botschaft ist keine sanfte Täuscherei; man wird sie kaum mit Freude aufnehmen oder bereitwillig befolgen; die Menschen tun in ihrer großen Mehrheit nicht, was die Propheten von ihnen fordern. Aber sie entscheiden sich dafür, diese Anschuldigungen und Forderungen im Gedächtnis zu bewahren. Warum?

Für Max Weber taucht mit den vorexilischen Propheten der »Demagoge (...) zum erstenmal geschichtlich beglaubigt auf«.[2] Aber das ist nicht ganz richtig; denn obwohl die Propheten zu den Menschen und wahrscheinlich in ihrem Namen sprachen, obwohl sie mit dem Eifer und Zorn redeten, die wir gewöhnlich Demagogen zuschreiben, so scheinen sie doch nicht nach einem Anhang im Volke oder gar nach einem politischen Amt gestrebt zu haben. Weber kommt der Wahrheit näher, wenn er behauptet, daß die niedergeschriebenen Prophezeiungen, die in den Städten Israels und Judas zirkulierten, das früheste uns bekannte Beispiel für das politische Pamphlet darstellen.[3] Aber auch diese Vermutung ist noch zu eng. Die prophetische Religion umfaßte nicht nur die Politik, sondern alle Aspekte des gesellschaftlichen Lebens. Die Propheten waren (und der Begriff ist hier nur mäßig anachronistisch) Gesellschaftskritiker. In Wirklichkeit waren sie die Erfinder der Praxis der Gesellschaftskritik, wenngleich sie ihre eigene kritische Botschaft nicht selbst erfunden hatten. Und so können wir, wenn wir sie lesen und ihre Gesellschaft studieren, etwas über die Bedingungen lernen, die Kritik ermöglichen und ihr Stärke verleihen, ebenso wie über die Stellung und Rolle des Kritikers unter den Leuten, die er kritisiert.

Als erstes müssen wir feststellen, daß die prophetische Botschaft von früheren Botschaften abhängt. Sie ist nichts radikal Neues; der Prophet ist nicht der erste, der die von ihm verkündete Moral findet oder erfindet. Wir können zwar bei einigen der späteren Propheten einen latenten theologischen Revisionismus entdecken, aber keiner von ihnen stellt eine völlig neue Lehre vor. Die meisten von ihnen lehnen jede Originalität ab, und zwar nicht allein im offenkundigen Sinne, daß sie Gott als den Urheber ihrer Botschaft anführen. Wichtiger ist, daß sie sich beständig auf die epische Geschichte und die moralischen Lehren der Thora beziehen: »Es ist dir gesagt, Mensch, was gut ist« (*Micha*, 6.8). Die Vergangenheitsform ist hier bezeichnend. Die Propheten setzen die früheren Botschaften, die göttlichen »Weisungen«, die unmittelbare Gegenwart von Geschichte und Gesetz Israels im Geiste ihrer Zuhörer voraus. Sie haben keine esoterische Lehre, nicht einmal im Kreise ihrer engsten Schüler. Sie sprechen zu einem breiten Publikum, und trotz all ihres Unmuts gehen sie selbstverständlich davon aus, daß ihnen dieses Publikum auch zuhören wird. Sie setzen voraus, wie Johannes Lindblom schreibt, »daß ihre Worte unmittelbar verstanden und akzeptiert werden konnten« – allerdings nicht, daß auch sie selbst akzeptiert werden würden: sie kannten schließlich das Volk, für das sie prophezeiten.[4]

Diese Annahme der Propheten findet ihre soziologische Entsprechung in der politischen Struktur und Gemeindeverfassung des alten Israel: eine lockere Reihe lokaler Einrichtungen in fortgesetztem Konflikt miteinander, die sich gewaltig von den einheitlichen Hierarchien Ägyptens im Westen und Assyriens im Osten unterschied. In Israel war die Religion nicht der Exklusivbesitz der Priester, und das Gesetz war nicht der exklusive Besitz der königlichen Bürokraten. In der

Form, in der wir das Prophetentum kennen – als Kritik –, wäre es ohne die relative Schwäche von Priesterschaft und Bürokratie im Alltagsleben Israels gar nicht möglich gewesen. Die notwendigen Rahmenbedingungen werden in den prophetischen Texten selbst angezeigt: Gerechtigkeit wird innerhalb der »Tore« der Stadt geübt (oder nicht geübt), und die Religion wird auf den Straßen diskutiert.[5] Die Bibel legt deutlich die Existenz einer starken Laien-Religiosität im Volke Israels nahe. Diese hatte zwei Aspekte: die individuelle Frömmigkeit einerseits und einen mehr oder minder gemeinsamen, wenngleich heftig umstrittenen Bundesglauben andererseits.[6] Zusammengenommen machten sie eine Gebets- und Diskussionskultur aus, die von der formellen religiösen Kultur aus Pilgertum und Opferkult unabhängig war. Wenngleich sie zweifelsohne, wie Max Weber sagt, von städtischen Intellektuellenzirkeln getragen wurde,[7] so reichte diese informelle Religiosität doch weit über solche Kreise hinaus. Andernfalls hätte der Prophet keine Zuhörerschaft gefunden.

Oder aber die Prophetie hätte eine völlig andere Form angenommen. Ich will weiter unten versuchen, eine solche alternative Möglichkeit aus dem Buch Jona zu illustrieren, das die Geschichte eines Propheten erzählt, der von Gott in die Stadt Ninive geschickt wird, wo die Berufung auf Geschichte und Gesetz Israels offenkundig sinnlos gewesen wäre. Aber zunächst muß ich noch etwas mehr zu den Bedingungen sagen, unter denen diese Berufung sinnvoll ist, besonders zur Stärke und Legitimität der Volksreligion. Teilweise rührt diese aus volkstümlichen Praktiken, wie der Praxis des spontanen Gebets, die Moshe Greenberg beschrieben hat.[8] Aber es gibt daneben auch etwas, das man als das Ideal oder sogar die Doktrin einer Laienreligion bezeichnen könnte. Diese Lehre ist einem Bundesglauben vollständig angemessen, und sie findet ihren deutlichsten Ausdruck im *Deuteronomium* (dem fünften Buch Mose), dem zentralen Dokument der Theologie des Bundes Israels. Das präzise Verhältnis des *Deuterono-*

mium zur prophetischen Bewegung ist Gegenstand von Kontroversen: Beeinflußten die Propheten die Autoren des *Deuteronomiums* oder umgekehrt? Man muß vermuten, daß die gegenseitige Beeinflussung in beide Richtungen ging und über Kanäle verlief, die wir niemals völlig verstehen werden. Jedenfalls stellen zahlreiche Passagen der prophetischen Bücher das Echo (oder die Antizipation?) des *Deuteronomium*-Textes dar, wie wir ihn heute kennen; und die Tradition des Bundes, deren Ausarbeitung das Buch *Deuteronomium* darstellt, ist gewiß älter als Amos, obwohl die »Entdeckung« des Textes erst anderthalb Jahrhunderte nach Amos' Prophezeiungen stattfand.[9] Daher werde ich mich auf das fünfte Buch Mose stützen, um die Hintergrunddoktrin deutlich zu machen, auf die sich das Prophetentum bezieht: als eine normative Version der informellen und nicht priesterlichen Laientradition von Gebet und Diskussion.

Ich möchte kurz zwei Passagen kommentieren. Die erste stammt vom Ende des Buchs *Deuteronomium*, die zweite von seinem Anfang. Ob eine dieser Passagen Teil des Manuskripts war (oder beide), das dann im Jahre 621 vor Christus in Jerusalem auftauchte, vermag weder ich noch überhaupt jemand zu sagen. Aber sie teilen mit dem Original den Geist, ein Dokument des Bundes zu sein. Die erste Passage bildete die Grundlage für die Geschichte aus dem Talmud, mit der ich oben das erste Kapitel beendet habe (*Deut.*, 30.11-14):

> *Denn das Gebot, das ich dir heute gebiete, ist dir nicht verborgen* (Hebräisch: *felah,* wird alternativ auch übersetzt mit »es ist nicht zu hart für dich«) *noch zu ferne* noch im Himmel, daß du möchtest sagen: Wer will uns in den Himmel fahren und es uns holen, daß wir's hören und tun? Es ist auch nicht jenseits des Meers (...). *Denn es ist das Wort gar nahe bei dir, in deinem Munde und in deinem Herzen, daß du es tust.*

Gewiß stieg Moses auf den Berg, aber das muß keiner noch einmal tun. Es gibt keine Sonderrolle mehr für Vermittler zwischen den Menschen und Gott. Das Gesetz ist nicht im Himmel; es ist ein gesellschaftlicher Besitz. Der Prophet muß den Leuten nur ihr eigenes Herz zeigen. Wenn seine Stimme die »eines Predigers in der Wüste« (*Jes.*, 40.3) ist, dann nicht deshalb, weil er sich auf eine heroische Suche nach Gottes Geboten gemacht hätte. Das Bild verweist auf die Geschichte der Menschen selbst, an ihre eigene Zeit in der Wüste, und gemahnt sie daran, daß sie damals bereits die Gebote kannten. Und obwohl sie dieser Ermahnung bedürfen mögen, so erneuert sich doch ihre Kenntnis der Gebote sehr leicht, denn die Thora ist keine esoterische Lehre. Sie ist nicht verborgen, dunkel, schwer (das hebräische Wort hat alle diese Bedeutungen, ebenso auch »wunderbar« und »reserviert«, so wie ein heiliger Text für eine Kaste speziell ausgebildeter Priester reserviert sein kann). Die Lehre ist verfügbar, gemeinverständlich, zugänglich für die Laien aus dem Volke – so sehr, daß jeder Mann und jede Frau verpflichtet ist, über sie zu sprechen:

> Und diese Worte, die ich dir heute gebiete, sollst du zu Herzen nehmen und sollst sie deinen Kindern einschärfen und davon reden, wenn du in deinem Hause sitzest oder auf dem Wege gehst, wenn du dich niederlegst oder aufstehst. (*Deut.*, 6.6-7)

Die Prophezeiung ist eine besondere Form der Rede, weniger eine gebildete als eine inspirierte und poetische Version des umgangssprachlichen Diskurses, der Redeweise also, die – wenigstens manchmal – die Sprache eines bedeutsamen Teils der Zuhörerschaft des Propheten gewesen sein muß. Nicht nur die rituelle Wiederholung von Schlüsseltexten, sondern auch tiefempfundenes Gebet, Geschichtenerzählen, theologische Diskussionen: von alldem finden sich Zeugnisse in der Bibel; und die Prophetie bezieht sich auf diese Kontinuität, sie beruht auf dieser Tradition der Rede. Obwohl es einen Konflikt zwischen den Propheten und der etablierten Priesterschaft gibt, stellt das Prophetentum doch in keiner Hinsicht eine sektiererische oder Untergrundbewegung dar. Im Streit zwischen Amos und dem Priester Amazja ist es der Prophet, der sich auf die religiöse Tradition beruft, während der Priester nur an die Staatsräson appelliert.[10] Die Prophetie zielt darauf ab, Erinnerung, Wiedererkennen, Empörung, Reue hervorzurufen. Im Hebräischen stammt das letzte dieser Worte aus einer Wurzel, die »sich wenden, umkehren, zurückkehren« bedeutet; und so impliziert es, daß die Reue stets von einer früher gemeinsam akzeptierten und verstandenen Moral abhängt. Dieselbe Implikation wird auch in der Prophezeiung deutlich: Der Prophet sagt den Untergang voraus, aber was seine Zuhörer bewegt, ist nicht allein die Furcht vor kommendem Unheil, sondern auch die Kenntnis des Gesetzes, ein Wissen um die eigene Geschichte und ein Gefühl für die religiöse Tradition. Die prophetische Mahnung, schreibt Moshe Greenberg,

> setzt nicht nur in bezug auf historische Erfahrungen, sondern auch auf religiöse Gebote einen gemeinsamen Grund voraus, auf dem der Prophet und seine Zuhörer stehen. Die Propheten scheinen an die bessere Natur ihrer Zuhörer zu appellieren, indem sie sie mit den Forderungen Gottes konfrontieren, die diese kennen (oder kannten), aber vernachlässigen oder vergessen wollen (...). Es ist mehr als ein schwacher Optimismus, der die über Generationen aufeinander folgenden reformatorischen Propheten trägt; in ihm spiegelt sich das Vertrauen der Propheten darin, daß sie letztendlich ihre Fürsprecher in den Herzen ihrer Zuhörer selbst hatten.[11]

Konfrontieren wir diese Sicht mit dem Beispiel des Buchs *Jona.* Das ist eine späte (nachexilische) Erzählung, die für gewöhnlich als Plädoyer für den Universalismus des göttlichen Gesetzes und der göttlichen Belange verstanden wird –

obgleich der Universalismus tatsächlich eine sehr viel ältere Tradition hat. Vielleicht ist das Buch *Jona* eine alte Erzählung, die irgendwann nach der Rückkehr aus dem babylonischen Exil wiedererzählt wurde: als Angriff auf die Kirchturmpolitik der judäischen Restauration. Das unmittelbare Thema der Geschichte Jonas besteht darin, daß Gott seine Dekrete auch zurücknehmen kann.[12] Dies ist ein Thema, das (zumindest implizit) bereits von den frühesten Propheten aufgeworfen wurde[13]: Daß Gott selbst sehr wohl zur »Reue« in der Lage ist, wird bereits von Amos nahegelegt[14]; und es gibt sogar ein schlagendes Beispiel aus weit früherer Zeit, nämlich in der Geschichte des Exodus.[15] Aber ich will einen anderen Zug des Buchs *Jona* unterstreichen und den Inhalt von Jonas Botschaft dem der Botschaft der Propheten in Israel gegenüberstellen. Der Kontrast wäre noch schärfer, wenn der Jona der Geschichte mit dem Propheten Jona, dem Sohn Amitthais identifiziert werden könnte, der im zweiten Buch *Könige* (14.25) erwähnt wird und ein Zeitgenosse des Amos war – aber von dieser Identifizierung hängt er nicht ab. Für mein unmittelbares Thema kommt es weniger auf die Herkunft der Erzählung und die Absicht ihres Autors an als auf die Erzählung selbst. Ich werde den »Plot« wörtlich nehmen und mich auch nicht bei ihrer offenkundigen Ironie aufhalten (etwa dem Umstand, daß die Bewohner Ninives tatsächlich bereuten, während kein einziger von Israels eigenen Propheten von einem ähnlichen Erfolg berichten konnte). Wenn Jona in Ninive der Stadt ihren Untergang prophezeit, so ist er notwendigerweise eine ganz andere Art Prophet, als es Amos in Beth-El' oder Micha in Jerusalem war – denn Untergang ist der gesamte Inhalt seiner Prophezeiung. Er kann sich nicht auf eine religiöse Tradition oder ein Moralgesetz berufen, das sich in einem Bund verkörpert hat. Welche Religion die Einwohner Ninives auch gehabt haben mögen, Jona scheint von ihr nichts zu wissen und sich auch nicht dafür zu interessieren. Er ist ein Kritiker der Gesellschaft Ninives aus der Position des Abstands, und seine Prophezeiung besteht aus einem einzigen Satz: »Noch vierzig Tage, und Ninive wird umgestürzt.« (*Jona*, 3.4)[16]

»Umstürzen« ist das Verbum, das in der *Genesis* (19.25) bei der Beschreibung des Schicksals von Sodom und Gomorra verwandt wird, und es dient hier dazu, Ninive diesen beiden Städten anzugleichen. Alle drei Städte werden verdammt ob der »Sünde« ihrer Bewohner. Nahum Sarna schlägt noch einen weiteren Vergleich vor, der sich auf ein weiteres wiederholtes Wort stützt. Ninive ist der »Unbill« *(violence)* angeklagt, ein Echo des Frevels, der bereits die Sintflut erklarte: »Und die Erde verdarb vor Gott, die Erde füllte sich mit Unbill.« (*Gen.*, 6.11)[17] In beiden Fällen wird nichts Spezifischeres angeführt.[18] Die Sündhaftigkeit Sodoms wird wenigstens auf minimale Weise spezifiziert: ihre unmittelbare Form ist die sexuelle Mißhandlung von Fremden und Gästen. Doch über das Innenleben von Sodom, die moralische Geschichte oder die moralischen Verpflichtungen seiner Bewohner wissen wir tatsächlich recht wenig. Und noch weniger wissen wir, wie die Welt vor der Sintflut aussah, oder über die ferne Stadt Ninive. Jona erzählt uns nichts von alldem: das ist Prophetie ohne Poesie, ohne Resonanz, ohne jede Anspielung oder irgendwelche konkrete Einzelheiten. Der Prophet kommt und geht, er ist eine fremde Stimme, ein reiner Botschafter, ohne jede Verbindung zum Volk der Stadt. Selbst die Sorge um dieses Volk von Ninive, die Gott ihn am Ende der Geschichte lehrt, ist nur ein ziemlich abstraktes »Mitleid« für die »mehr denn hundertzwanzigtausend Menschen, die nicht wissen Unterschied, was rechts oder links ist« (*Jona*, 4.11).

Der letzte Satz bezieht sich vermutlich auf die Kinder Ninives; die Erwachsenen scheinen etwas mehr Unterscheidungsvermögen zu haben, schließlich bereuen sie. Auch wenn Jona nichts darüber sagt, gibt es unter ihnen doch ein moralisches Wissen, zu dem sie zurückkehren können, ein Grundverständnis, das sowohl Gott als auch sein Prophet voraussetzen.

Natürlich hat Ninive seine eigene moralische und religiöse Geschichte, seinen eigenen Glauben, sein eigenes Gesetz, seine eigenen Schreine und Priester – seine eigenen Götter. Aber Jonas Absicht besteht nicht darin, die Menschen von Ninive an ihre eigenen Traditionen zu erinnern; nur ein lokaler Prophet (ein verbundener Kritiker) könnte das tun. Versuchen wir, uns eine Unterhaltung zwischen Jona und den Bürgern Ninives vorzustellen: was hätte er ihnen sagen können? Unterhaltungen hängen von einer gemeinsamen Verstehensgrundlage ab, und da hier die Gemeinsamkeit minimal ist, können wir uns nur eine reduzierte Unterhaltung vorstellen. Nicht, daß es überhaupt nichts zu sagen gäbe, aber die Rede wäre doch ziemlich dünn und müßte sich auf die Elemente moralischen Verstehens konzentrieren, die von jedem Gemeinschaftsleben unabhängig sind; es gäbe kaum Raum für Nuancen oder Feinheiten. Daher Jonas Prophezeiung, und ihre Erfüllung: die Menschen Ninives erkennen die »Unbill, die an ihren Händen ist« (*Jona*, 3.8) und »kehren um«. Worin aber besteht diese »Unbill« *(violence)*, deren Erkennen auf keiner besonderen moralischen oder religiösen Geschichte beruht?

Die ersten beiden Kapitel des Buches *Amos* bieten eine Antwort auf diese Frage. Hier »richtet« der Prophet eine Gruppe von Nationen, mit denen sich Israel kurz zuvor im Krieg befand, und er gibt eine knappe, wenngleich manchmal dunkle Aufzählung ihrer Verbrechen. Die Damasker haben »Gilead mit eisernen Zacken gedroschen« – anscheinend ein Verweis auf extreme Grausamkeiten der Kriegsführung; Gaza hat »die Gefangenen alle verschleppt«; Tyrus hat einen Vertrag gebrochen; Edom hat »seinen Bruder mit dem Schwert verfolgt und alles Erbarmen von sich geworfen«; die Leute von Ammon haben »die Schwangeren in Gilead zerrissen«; Moab »verbrannte die Gebeine des Königs von Edom zu Asche« und verweigerte ihm damit ein ehrenvolles Begräbnis (*Amos*, 1.3-2.2). All diese »Unbill« besteht aus Gewaltverbrechen,[19] und in allen Fällen sind die Opfer Feinde und Fremde, keine Mitbürger. Das sind die einzigen Verbrechen, für die die »Nationen« (im Unterschied zu Israel und Juda) bestraft werden. Der Prophet »richtet« Israels Nachbarn nur für ihre Verletzungen eines Minimalkodexes, »einer Art von religiösem Völkerrecht«, wie Max Weber vermutet, »dessen Geltung unter den palästinischen Völkern vorausgesetzt wird«.[20] Über die substantielle gesellschaftliche Moral der Völker Palästinas, über ihre heimischen Gebräuche und Institutionen hat Amos, wie Jona in Ninive, nichts zu sagen.

Amos' Verurteilung der Nationen setzt keinen spaten und hochentwickelten Universalismus voraus, sondern einen frühen und wohlvertrauten. Die Existenz einer Art internationalen Rechts, das die Behandlung von Feinden und Fremden festlegt, scheint ebenfalls in der Geschichte Sodoms und Gomorras vorausgesetzt zu werden, auf die sich Amos beiläufig bezieht (4.11) – und zwar so, als ob sie seiner Zuhörerschaft wohlbekannt sei; und ein derartiger Minimalcode mag auch der Geschichte der Sintflut unterliegen. Der Autor des Buchs *Jona* fügt Jahrhunderte später in dieser Hinsicht nichts hinzu. Gott wird gewaltsame »Unbill« überall bestrafen, wo immer sie verübt wird. Aber neben diesem Universalismus gibt es eine partikularistischere Botschaft, die (jedenfalls von den Propheten Israels) nur den Kindern Israels verkündet wird:

> Aus allen Geschlechtern auf Erden habe ich allein euch erkannt; darum will ich auch euch heimsuchen in all eurer Missetat. (*Amos,* 3.2)

»All eure Missetat«, heimische ebenso wie internationale: die Ausarbeitung dieses Satzes stellt die besondere Moral dar, das wesentliche Thema der Propheten.

Die Sorge der Propheten gilt *diesem* Volk, ihrem eigenen Volk, dem »Geschlechte«, wie Amos sagt, das Gott aus Ägypten geführt hat (*Amos*, 2.10). (Für meinen gegenwärtigen Zweck werde ich die politische Spaltung zwischen den beiden Königreichen Israel und Juda vernachlässigen; beide haben eine gemeinsame Geschichte und ein gemeinsames Gesetz, und Propheten wie Amos wandern zwischen ihnen hin und her.) Im Gegensatz dazu hat Jona kein persönliches Interesse am Schicksal Ninives und keine Kenntnis von dessen moralischer Geschichte. Daher irrt Martin Buber, wenn er die Erzählung von Jona als »ein episches Paradigma für Wesen und Auftrag der Propheten«[21] bezeichnet. Der paradigmatische Auftrag der Propheten besteht darin, das Verhältnis der Menschen untereinander (und zu »ihrem« Gott), also die innere Natur ihrer Gesellschaft zu beurteilen – und genau das tut Jona nicht. Die prophetische Lehre, schreibt Lindblom genauer, »ist durch das Prinzip der Solidarität charakterisiert. Hinter der Forderung nach Nächstenliebe und Gerechtigkeit (...) liegt die Vorstellung des *Volkes*, und zwar des Volkes als eines durch Wahl und den Bundesvertrag geeinten Ganzen«[22] – ausgesondert durch eine besondere Geschichte, wie wir hinzufügen könnten. Auf diese Solidarität verpflichtet, vermeiden die Propheten ebenso das Sektierertum, wie sie einen weiterreichenden Universalismus meiden. Sie machen keinen Versuch, eine engere Gemeinschaft zu isolieren; sie unternehmen keinerlei Anstrengung, eine Gruppe von »Brüdern« um sich zu scharen. Wenn sie sich an ihre Zuhörerschaft wenden, benutzen sie stets kollektive Eigennamen, die das ganze Volk einschließen – Israel, Joseph, Jakob; ihr Blickwinkel gilt stets dem Schicksal der aus dem Bundesvertrag erwachsenen Gemeinschaft als ganzer.

Aus demselben Grund ist die Botschaft der Propheten entschieden aufs Diesseits gerichtet. Es ist eine soziale und Werktags-Ethik. Zwei Punkte sind hierbei wichtig, und ich entlehne beide Max Webers Untersuchung über das antike Judentum, deren vergleichende Perspektive äußerst erhellend ist.[23] Es gibt erstens keine prophetische Utopie, keine Darstellung (etwa im Stile Platons) des »besten« politischen oder religiösen Regimes, eines von der Geschichte losgelösten, im Irgendwo oder Nirgendwo angesiedelten Regimes. Die Propheten haben keine philosophische Vorstellungskraft. Sie sind, in all ihrer Wut, in ihren Gesellschaften verwurzelt. Das Haus Israel ist hier, und es muß nur in Übereinstimmung mit seinen eigenen Gesetzen geordnet werden. Zweitens widmen die Propheten der individuellen Rettung oder der Vervollkommnung ihrer eigenen Seele keinerlei Interesse. Sie sind keine religiösen Getreuen oder Mystiker; niemals predigen sie Askese oder Abkehr von der Welt. Falsches und richtiges Tun ähneln sozialen Experimenten, und der Prophet und seine Zuhörer sind in diese Experimente gemäß dem Grundsatz der Solidarität verwickelt, ob nun die jeweilige richtige oder falsche Handlung ihre eigene ist oder nicht.

Utopische Spekulation und Weltabgewandtheit sind zwei Formen der Flucht aus dem Partikularismus. Beide nehmen stets kulturell spezifische Formen an, aber im Prinzip sind sie ohne Ansehen der kulturellen Identität zugänglich: Ein(e) jede(r) kann der Welt den Rücken kehren, jede(r) kann sich auf den Standpunkt von »Nirgendwo« stellen. Den Propheten geht es hingegen darum, daß *dieses* Volk auf *diese* Art und Weise leben soll.

Die Propheten berufen sich auf eine besondere religiöse Tradition und ein besonderes Moralgesetz, und die Kenntnis beider setzen sie bei ihrer Zuhörerschaft voraus. Dieses Bezugnehmen findet sich in den prophetischen Büchern fortwährend, und wenn auch einiges davon uns heute geheimnisvoll anmuten mag, so war es wahrscheinlich für die Männer und Frauen, die sich in Beth-El' oder Jerusalem zum Zuhören versammelten, kein Geheimnis. Wir brauchen heute Fußnoten, aber der Sinn der Prophetien bestand nicht darin, wie gewisse moderne Lyrik mit Fußnoten gelesen zu werden. Nehmen wir folgende Zeilen aus dem Buch *Amos*, die kurz nach der berühmten Stelle folgen, in der es um den Verkauf der Gerechten für Silber und der Bedürftigen für ein paar Schuhe geht:

> Und bei allen Altären schlemmen sie auf den verpfändeten Kleidern und trinken Wein in ihrer Götter Hause von dem Gebüßten. (*Amos,* 2.8)

Hier wird Bezug genommen auf das Gesetz von *Exodus* 22.26-27 (das Teil des Buchs über den Bund ist):

> Wenn du von einem Nächsten ein Kleid zum Pfande nimmst, sollst du es ihm wiedergeben, ehe die Sonne untergeht; denn sein Kleid ist eine einzige Decke seiner Haut, darin er schläft.

Die Klage des Propheten ergibt ohne das Gesetz keinen Sinn. Ob nun das Gesetz bereits in schriftlicher Form vorlag (wie es hier der Fall gewesen zu sein scheint) oder ob man es nur aus mündlicher Überlieferung kannte – entscheidend ist, daß es bekannt war und daß diese Kenntnis, wie man aus der Art der Bezugnahme schließen kann, allen Zuhörern *gemeinsam* war. Aber weder das Gesetz noch die Moral, die hinter dem Gesetz steht, ist *universell* bekannt. Wir haben heute ganz andere Ansichten über die Pfandleihe, und es liegt keineswegs auf der Hand, daß unsere Vorstellungen ungerecht sind.

Aber die Propheten berufen sich nicht allein auf die Tradition und wiederholen sie, sie interpretieren und revidieren sie auch. Ich bin manchmal auf Versuche gestoßen, den Wert der Prophetie als Beispiel für ein allgemeines Verständnis von Gesellschaftskritik mit folgendem Argument zu bestreiten: Israel habe schließlich eine ungewöhnlich kohärente moralische Tradition besessen, wohingegen wir heute ja nur über konkurrierende Traditionen und endlose Meinungsverschiedenheiten verfügen.[24] Aber die Kohärenz der Religion Israels ist mehr das Ergebnis des Werks der Propheten als seine Vorbedingung. Ihre Prophezeiungen erst sind es, die – gemeinsam mit den Schriften der *Deuteronomium*-Schule – die Herausbildung dessen einleiten, was wir das Judentum im normativen Sinne *(normative Judaism)* nennen könnten. Es ist wichtig, die bereits existierenden moralischen und Gesetzescodes, die Bedeutung einer gemeinsamen Vergangenheit und die Tiefe der Volksreligiosität zu unterstreichen. Aber all dies war theologisch noch im Anfangsstadium, es war heftig umstritten und in seiner Form radikal pluralistisch. Was Priester wie Amazja als »zweitrangig und untergeordnet« in der israelitischen Religion ansehen, nehmen die Propheten zum »Kern eines neuen theoretischen und ideologischen Gebildes«. Oder mit anderen Worten: Die Propheten versuchen, ein Bild der Tradition zu erarbeiten, das auch für die eigenen Zeitgenossen Bedeutung hat und sich mit ihrer Erfahrung verbinden kann. Sie sind von der Vergangenheit abhängig, aber sie geben dieser Vergangenheit, von der sie abhängen, doch auch eine Gestalt.[25]

Und auch dabei handeln sie aller Wahrscheinlichkeit nach nicht allein. Ebenso, wie wir dem Bild des alten Israel als eines Spezialfalls von hoher moralischer Übereinstimmung widerstehen müssen, gilt es, der Vorstellung zu widerstehen, die Propheten seien Sonderlinge, Exzentriker und Einzelgänger gewesen. Wenn sie den Glauben Israels interpretieren, sind sie nicht weniger allein, als wenn sie ihn wiederholen. Die Interpretation, wie ich sie beschrieben habe und wie die Propheten sie praktizierten, ist eine verbreitete Tätigkeit. Die neue Betonung etwa, die auf den gesellschaftlichen Code des Exodus gelegt wird, wurzelt mit Sicherheit in Diskussionen und Streitereien, die – man kann es sich leicht vorstellen – beständig in den Städten Israels und Judas stattfanden. Amos wird kaum der erste gewesen sein, der bemerkte, daß das Gesetz über die Pfandleihe verletzt wurde. Er spricht vor einem Hintergrund städtischen Wachstums und von Klassendifferenzierung, der diesem Gesetz (und allen Exodus-Gesetzen) eine neue Relevanz verlieh. Auf ähnliche Weise ist die prophetische Geringschätzung des rituellen Opfers in der Volksfrömmigkeit verwurzelt: in der Ablehnung oder Vermeidung priesterlicher Vermittlung, im durch die Praxis des individuellen Gebets spontan wiederauftauchenden alten Traum, ganz Israel werde »ein priesterliches Königreich und ein heiliges Volk« sein.[26] Immerhin sind es die Propheten, die die Verbindung zwischen Frömmigkeit und Verhalten am deutlichsten herstellen und die die Exodus-Gesetze am explizitesten als Waffe der Gesellschaftskritik benutzen.

Amos' Argumentation spielt ebenso mit der neuen Begeisterung für den Exodus-Code wie mit der neuen Abwertung von Priestertum und Opferkult. Wir müssen dazu den sozialen Wandel verstehen, der seinen Prophezeiungen vorausgeht und sie motiviert: die Einführung immer größerer Ungleichheiten in eine Gesellschaft, die einstmals (und ihrem Ideal gemäß immer noch) eine Assoziation freier Menschen war. Zweifellos hatte es auch früher schon Formen von Ungleichheit gegeben, andernfalls hätte es keinen alten gesellschaftlichen Code gegeben, der die Wirkungen von Ungleichheit lindern sollte. Aber um das achte vorchristliche Jahrhundert hatten die Jahre der monarchischen Herrschaft am Hofe und um den Königshof herum eine neue Oberklasse hervorgebracht, die auf Kosten einer neuen Unterklasse lebte. Archäologische Funde, die in diesem Falle explizitere Schlüsse erlauben als gewöhnlich, bestätigen diese Entwicklung: »Die einfachen und gleichförmigen Häuser der früheren Jahrhunderte waren durch luxuriöse Wohnungen der Reichen einerseits und ärmliche Hütten andererseits ersetzt worden.«[27] Amos ist vor allem ein Kritiker dieser neuen Oberklasse, deren Mitglieder sich zunehmend einen (wie wir heute sagen würden) hohen Lebensstandard leisten konnten und sich diesem Lebenswandel verschrieben: mit Winter- und Sommerhäusern (3.15), elfenbeinernen Lagern (6.4), aufwendigen Festen und kostbaren Parfums:

> und (ihr) trinket Wein aus den Schalen und salbet euch mit Balsam, und bekümmert euch nicht um den Schaden Josephs. (*Amos*, 6.6)

Die ätzende Beschreibung, die der Prophet von all dem gibt, wird oft als eine Art ländlicher Puritanismus verstanden, als Mißbilligung, die der Landmensch den städtischen Eitelkeiten entgegenbringt.[28] Vielleicht ist an dieser Sicht etwas Wahres, wenngleich sich die Prophetie auch auf städtische Erfahrungen und Diskussionen bezieht. Wenn der Prophet manchmal mit einer gewissen Distanz auf die Stadt blickt, so blickt er weit häufiger distanziert auf die Reichen und Mächtigen der Stadt: d. h. aus der Perspektive der Männer und Frauen, die sie unterdrücken. Dann beruft er sich auf Werte, die sogar die Unterdrücker zu teilen vorgeben. Amos' Hauptanklage hebt nicht darauf ab, daß die Reichen wohl leben, sondern, daß sie ihr Wohlleben auf Kosten der Armen führen. Sie haben damit nicht nur die Gesetze des Bundes vergessen, sondern das Band oder den Grundsatz der Solidarität selbst: »(ihr) bekümmert euch nicht um den Schaden Josephs« (6.6). Mehr noch: Sie selbst sind für den Schaden Josephs verantwortlich; sie sind des Verbrechens der Ägypter schuldig, der Unterdrückung.

Amos' Wort für »Unterdrückung« ist *'ashok*; das Exodus-Wort – *lahatz* – benutzt er nur ein einziges Mal (6.14), und zwar dort, wo er beschreibt, wie es Israel unter der Gewalt einer nicht näher benannten ausländischen Macht ergehen wird. Der Wechsel in der Terminologie verweist mit wünschenswerter Deutlichkeit darauf, wie Amos (oder unbekannte Redner und Schreiber vor ihm) innerhalb der Tradition auf eine neue gesellschaftliche Erfahrung antworten. *Lahatz* bedeutet »niederdrücken, pressen, zerschlagen, zwingen«. Der von *'ashok* evozierte Bedeutungshorizont ist ein ganz anderer: »mißhandeln, ausbeuten, verletzen, beleidigen, wuchern, betrügen«. *Lahatz* hat politische Nebenbedeutungen, *'ashok* ökonomische. Natürlich war die Unterdrückung in Ägypten auch ökonomischer Natur, und im achten vorchristlichen Jahrhundert wurde in Israel und Juda die Unterdrückung der Armen von monarchischen Regimes aufrechterhalten. Amos verdammt ebenso die »großen Häuser« wie die »Paläste«. Aber die hauptsächliche Erfahrung in Ägypten war die der Tyrannei, und zu Amos' Zeiten war es die von Ausbeutung und Ausplünderung der Armen. Die neue Knechtschaft hatte ihren Ursprung im Handel – Zins, Verschuldung, Betrug und Konfiskation; ihr charakteristischer Ort war eher der Markt als der Staat. Amos richtet seine Worte besonders an die geizigen Kaufleute:

> Höret dies, die ihr den Armen unterdrückt und die Elenden im Lande verderbt und sprecht: »Wann will denn der Neumond ein Ende haben, daß wir Getreide verkaufen, und der Sabbat, daß wir Korn feilhaben mögen und das Maß verringern und den Preis steigern und die Waage fälschen, auf daß wir die Armen um Geld und die Dürftigen um ein Paar Schuhe unter uns bringen und Spreu für Korn verkaufen?« (6.4-6)

Seine Anrede ist in der Tat im doppelten Sinne spezifisch: Wendet er sich doch an geizige *israelitische* Kaufleute, die das Ende der Feiertage Israels, an denen geschäftlicher Handel verboten war, kaum abwarten können, um zu ihrem Geschäft von Wucher und Betrug zurückkehren zu können. Amos' Anrede regt zu peinlichen Fragen an: Was für eine Art Religion ist das, die Geiz und Unterdrückung nur zeitweilig und in periodischen Abständen Einhalt gebietet? Welchen Wert hat der Gottesdienst, wenn er die Herzen nicht zum Guten führt? Die Unterdrücker der Armen und Bedürftigen sind – wie der Prophet sie beschreibt – skrupulöse »Rechtgläubige«: Sie beachten das Neumondfest, sie halten die Sabbatruhe, sie nehmen an den religiösen Versammlungen teil, spenden das erforderliche Opfer, stimmen in die Hymnen ein, die den priesterlichen Ritus begleiten. Doch all das ist bloße Heuchelei, wenn es sich nicht in ein alltägliches Verhalten gemäß dem Gesetzescode des Bundes übersetzt. Auf diese wirklichen Erfordernisse weist Amos dadurch hin, daß er die Erinnerung an den Exodus beschwört:

> Habt ihr vom Hause Israel mir in der Wüste die vierzig Jahre lang Schlachtopfer und Speiseopfer geopfert? (5.25)

In der Exodus-Geschichte, so wie sie uns überliefert ist, taten sie es; vielleicht stützt Amos sich auf eine alternative Überlieferung.[29] Aber die Opferpraxis ist jedenfalls nicht das Entscheidende, was aus der Erfahrung der Befreiung zu lernen war. Solange die Unterdrückung fortbesteht, wurde nichts gelernt, wie viele Tiere auch immer geopfert werden.

Das ist die normale Form der Gesellschaftskritik, und wenn auch spätere Kritiker nur selten die wütende Poesie der Propheten erreicht haben, so können wir in ihrem Werk doch dieselbe intellektuelle Struktur wiedererkennen: die Identifikation öffentlicher Verlautbarungen und ehrenwerter Ansichten als Heuchelei, der Angriff auf die tatsächlichen Verhaltensweisen und Institutionen, die Suche nach einem Kern von Grundwerten (für die die Heuchelei immer ein Indiz darstellt), die Forderung nach einer Alltagspraxis, die mit diesem normativen Kern in Übereinstimmung steht. Die Kritik beginnt mit Abweisung und endet mit Bestätigung:

> Ich bin euren Feiertagen gram und verachte sie und mag eure Versammlungen nicht riechen. Und ob ihr mir gleich Brandopfer und Speiseopfer opfert, so habe ich keinen Gefallen daran; so mag ich auch eure feisten Dankopfer nicht ansehen. Tue nur weg von mir das Geplärr deiner Lieder; denn ich mag das Psalterspiel nicht hören! Es soll aber das Recht geoffenbart werden wie Wasser und die Gerechtigkeit wie ein starker Strom. (5.21-24)

Der einzige Zweck der Zeremonien besteht darin, die Menschen an ihre übernommenen moralischen Verpflichtungen zu erinnern: an Gottes Gesetz und den Bund in der Wüste. Wenn sie diesem Zweck nicht dienen, dann sind die Zeremonien nutzlos. Ja, mehr als nutzlos: lassen sie doch unter reichen und geizigen Israeliten ein falsches Sicherheitsgefühl aufkommen – als seien sie vor dem Zorne Gottes sicher. Die Untergangsprophezeiungen, die einen so großen Teil der Botschaft Amos' ausmachen, sollen dieses Sicherheitsgefühl zerstreuen, das Vertrauen der Gewohnheitsfrommen erschüttern: »Weh, ihr Sorglosen auf dem Zion« (6.1).[30] Doch weder »Weh« noch »Haß« machen die Substanz von Amos' Argumentation aus; diese ist vielmehr »Recht« und »Gerechtigkeit«.

Aber woher weiß der Prophet, daß Recht und Gerechtigkeit die Grundwerte der israelitischen Tradition sind? Warum nicht Pilgerschaft und Opfer, Gesänge und feierliche Zeremonien? Warum nicht rituelles Dekor und Ehrerbietung vor Gottes Priestern? Wenn Amazja eine positive Verteidigung seiner eigenen Tätigkeiten in Beth-El' vorgebracht hätte, so würde er uns vermutlich ein anderes Bild der israelitischen Werte vermittelt haben. Wie aber könnte dann der Streit zwischen Amos und Amazja zum Abschluß kommen? Beide, Priester und Prophet, könnten für ihre Position Texte anführen – an Texten mangelt es nie –, und beide würden in der Menge, die sich um den Tempelschrein drängt, Unterstützer finden. Ich habe behauptet, daß derartige Meinungsverschiedenheiten niemals auf einen Abschluß hinauslaufen, jedenfalls keinen definitiven Abschluß. Das würden sie auch dann nicht, wenn Gott selbst eingreifen würde, denn alles, was Gott beibringen könnte, wäre ein weiterer Text, der ebenso wie die früheren der Interpretation unterworfen wäre: »Es ist nicht im Himmel.« Wir können jedoch auf dem Wege gute und schlechte Argumente, starke und schwache Interpretationen unterscheiden. In diesem Fall ist es bezeichnend, daß Amazja keinerlei Anstalten zu einer positiven Interpretation macht. Sein Schweigen könnte als eine Art Zugeständnis gewertet werden, daß Amos eine überzeugende Darstellung der israelitischen Religion vorgelegt hatte – vielleicht gar, daß er, wie Greenberg sagt, Fürsprecher im Herzen der Menschen selbst gefunden hat. Doch damit ist der Streit nicht beendet, und nicht allein deshalb, weil der Prophet anscheinend gezwungen wird, Beth-El' zu verlassen, während Amazja in seiner priesterlichen Routine fortfahren kann. Die Behauptung, man diene Gott besser durch skrupulös befolgte kultische Verehrung als durch den gerechten Umgang mit den eigenen Nächsten, auch wenn sie nur implizit geäußert wird, hat eine dauerhafte Anziehungskraft: der kultische Gottesdienst ist weitaus leichter als die Gerechtigkeit. Aber Amos hat so etwas wie einen Sieg davongetragen, den einzigen Sieg, der im gesellschaftlichen Streit errungen werden kann: er hat in machtvoller und plausibler Weise die Grundwerte seines Publikums angerufen. Was er seinen Zuhörern nahelegt, ist eine Identifizierung der Armen in Israel mit den israelitischen Sklaven in Ägypten, und so macht er die Gerechtigkeit zum ersten religiösen Gebot. Warum hätte Gott sonst das Volk, *dieses Volk*, aus dem Haus der Knechtschaft befreit?

Amos' Prophetie ist Gesellschaftskritik, weil sie die Führer, die Gebräuche, die rituellen Praktiken einer bestimmten Gesellschaft herausfordert und weil sie dies im Namen von Werten tut, die in dieser selben Gesellschaft anerkannt und geteilt werden.[31] Ich habe diese Art der Prophetie bereits von der Art unterschieden, die von Jona in Ninive repräsentiert wird: Jona ist ein bloßer Botschafter, der sich nicht auf gesellschaftliche Werte beruft, wenngleich er – ohne dies zu sagen – an einen Minimalcode, so etwas wie ein internationales Recht appellieren mag. Er ist kein Missionar, der eine alternative Doktrin mitbringt; er versucht nicht, das Volk Ninives zur Religion Israels zu bekehren und es zum Bund von Sinai zu führen. Er vertritt nur den Minimalcode (und er vertritt Gott als dessen minimalen Urheber, der natürlich für die Bewohner Ninives keine der historischen Eigentümlichkeiten haben kann, die er für die Israeliten hat). Wir können uns Jona als einen minimalistischen Kritiker vorstellen; wir wissen nicht genau, welche Veränderungen im Leben Ninives er forderte, aber sie waren wahrscheinlich nicht annähernd so weitreichend wie die von Amos in Israel geforderten.

Was den Unterschied ausmacht, ist Amos' Mitgliedschaft. Seine Kritik geht tiefer als die Jonas, weil er die Grundwerte der Männer und Frauen kennt, die er kritisiert (oder weil er ihnen eine plausible Geschichte darüber erzählt, welche ihrer Werte die grundlegenden sein sollten). Und weil er umgekehrt als einer von ihnen anerkannt wird, kann er sie auf ihren »wahrhaften« Weg zurückrufen. Er schlägt ihnen Reformen vor, die sie durchführen können, während sie weiterhin Mitglieder und Mitbürger derselben Gesellschaft bleiben. Natürlich kann Amos auch ganz anders gelesen werden: die Untergangsprophezeiungen sind derart gewaltig und unerbittlich, daß sie jedes mögliche Argument zugunsten von Reue und Reform überwältigen. Und dann scheinen seine Plädoyers für Gerechtigkeit und die Versprechen göttlichen Trostes am Ende des Buchs *Amos* wenig überzeugend – so als ob sie (wie zahlreiche Kommentatoren annehmen, wenigstens für die Versprechen) von einer anderen Hand stammten.[32] Die das ganze Buch beseelende Leidenschaft ist jedoch die Sorge »um den Schaden Josephs« (6.6), ein starkes Solidaritätsgefühl, eine Verpflichtung auf den Bund, der aus Israel Israel machte. Amos ist ein Kritiker nicht allein seines Zorns, sondern auch seiner Sorge wegen. Er strebt eine innere Reformation an, die die neue Unterdrückung Israels oder der armen und bedürftigen Israeliten beenden soll. Das ist die gesellschaftliche Bedeutung, die er im Sinn hat, wenn er das Gebot aus dem *Deuteronomium* wiederholt (oder antizipiert): »Suchet das Gute und nicht das Böse, auf das ihr leben möget« (*Amos*, 5.14).[33]

Amos prophezeit auch wider andere Nationen als Israel. Hier ist er ein Kritiker von außen – wie Jona – und beschränkt sich auf äußeres Verhalten, Verletzungen einer Art internationalen Rechts. Ich will damit jedoch nicht nahelegen, daß die Gebote des Bundes keine allgemeine Geltung hätten. Man könnte zweifellos aus ihnen universale Regeln abstrahieren – vor allem eine universale Regel: *Unterdrücket die Armen nicht* (denn Unterdrückung ist, wie Weber schreibt, in den Augen der israelitischen Propheten »das vornehmste aller Laster«).[34] Und dann könnte man die Unterdrückung von Syrern, Philistern, Moabitern durch ihre geizigen Mitbürger in derselben Weise verurteilen und verdammen, wie die Propheten die Unterdrückung von Israeliten verurteilen und verdammen. Aber nicht wirklich in derselben Weise – nicht mit denselben Worten, Bildern, Bezügen; nicht in bezug auf dieselben Praktiken und religiösen Grundsätze. Denn die Kraft eines Propheten wie Amos kommt aus seiner Fähigkeit, auszusprechen, was Unterdrückung bedeutet, wie sie erfahren wird, an diesem Orte und zu dieser Zeit, und wie sie mit anderen Zügen des gemeinsamen sozialen Lebens verbunden ist. Eines seiner wichtigsten Argumente betrifft beispielsweise das Verhältnis zwischen Unterdrückung und der Beachtung religiöser Pflichten: es ist gänzlich möglich, die Sabbatruhe zu achten und gleichwohl die Armen niederzutrampeln. Daraus schließt er, daß das Gesetz gegen Unterdrückung den Vorrang vor den Sabbatpflichten genießt. Diese Gebotshierarchie ist spezifischer Natur; denn sie ruft die Zuhörer des Propheten dazu auf, sich daran zu erinnern, daß der Sabbat eingerichtet wurde, »auf daß dein Knecht und deine Magd ruhe gleich wie du« (*Deut.*, 5.14). Die Prophetie hätte nur ein kurzes Leben und kaum Wirkung, könnte sie sich nicht auf derartige Erinnerungen berufen. Dann müßten wir uns Prophetie nämlich als akademische Übung vorstellen. In einem fremden Lande würde Amos dem Samson in Gaza ähneln. Nicht ohne Augen, aber ohne Zunge: er könnte in der Tat die Unterdrückung sehen, aber er könnte ihr keinen Namen geben oder über sie zu den Herzen der Menschen sprechen.

Natürlich können andere Nationen die Propheten Israels lesen und bewundern, ihre Prophezeiungen in ihre eigene Sprache übersetzen (und in Fußnoten die Bezüge anmerken), und in ihrer eigenen Gesellschaft Analogien zu den Praktiken finden, welche die Propheten verdammen. Ich bin mir jedoch nicht sicher, wie umfassend ihre tatsächliche Lektüre und Bewunderung sein kann. Sicher fällt ihr Umfang nicht mit dem weitestmöglichen Verständnis zusammen und mag sehr wohl auf solche Nationen beschränkt sein, die in irgendeiner bedeutsamen Kontinuität zur Geschichte Israels stehen. Im Prinzip könnte sie jedoch weiter reichen. Was aber bedeutete es, wenn eine solche Lektüre von ferne stattfände? Es ist unwahrscheinlich, daß weit entfernte Leser von den Propheten eine Reihe abstrakter Regeln lernen würden oder eine einzige Regel: Unterdrücket die Armen nicht. Wenn sie wüßten, was Unterdrückung bedeutet (wenn sie das hebräische Wort *'ashok* übersetzen könnten), dann wüßten sie das bereits. Die Regel wäre ihnen vertraut, auch wenn sie andere Bezüge und Anwendungen hätte. Wahrscheinlicher ist, daß solch ferne Leser dazu bewegt würden, die prophetische Praxis nachzuahmen (oder vielleicht in einer neuen Weise ihren eigenen Propheten zuzuhören). Es ist die Praxis, nicht die Botschaft, die wiederholt werden würde. Leser könnten lernen, Gesellschaftskritiker zu sein; die Kritik wäre jedoch ihre eigene. In der Tat müßte die Botschaft eine andere sein, wenn die Praxis dieselbe sein sollte – ermangelte es ihr doch sonst an ebendem geschichtlichen Bezug und der moralischen Spezifik, die die prophetische (und die gesellschaftskritische) Praxis erfordert.

Im Falle der Prophezeiungen Amos' wider die »Nationen« liegt die Sache anders. Hier ist es gerade die Botschaft, der Minimalcode, der wiederholt wird: verletze keine Abkommen, töte keine unschuldigen Frauen und Kinder, deportiere nicht ganze Nationen ins unfreiwillige Exil! Von vielen Seiten bestätigt, sind diese Regeln in ein Völkerrecht inkorporiert, das nicht wesentlich ausführlicher ist als das »internationale«

Recht zu Amos' Zeiten. Aber ihre prophetische Äußerung ist bald vergessen. Denn die Äußerung ist eine bloße Feststellung und keine Interpretation oder Ausarbeitung dieses Rechts; spezifische Bezüge, obwohl Amos auch diese kurz anführt, sind in der Tat überflüssig. Ist es möglich, zwischen diesen beiden Sorten von Regeln – den Regeln gegen Gewalt und den Regeln gegen Unterdrückung – eine sinnvolle Unterscheidung zu treffen? Beide haben dieselbe sprachliche Form. Jede der beiden greift auf die andere über, und es wird immer eine beträchtliche Überschneidung zwischen ihnen geben. Der Minimalcode ist für die Entwicklung substantieller gesellschaftlicher Werte relevant und spielt vermutlich eine Rolle bei dieser Entwicklung; und der Minimalcode nimmt, je nachdem, wie sich diese Werte entwickeln, eine besondere Form an. Und doch sind beide Arten von Regeln nicht dasselbe. Die Regeln gegen Gewalt entspringen aus der Erfahrung sowohl internationaler als auch gesellschaftlicher Binnenverhältnisse; die Regeln gegen Unterdrückung entspringen aus Binnenverhältnissen allein. Die ersten steuern unsere Beziehungen zu allen Menschen, zu Fremden ebenso wie zu Mitbürgern; die zweiten steuern nur unser Gemeinschaftsleben. Die ersten sind in ihrer Form und Anwendung weitgehend stereotyp; sie werden auf dem Hintergrund von standardisierten Erwartungen auf der Basis einer schmalen Anzahl von Standarderfahrungen (deren hervorstechendste der Krieg ist) formuliert. Die zweiten sind ihrer Form nach komplex und in ihrer Anwendung unterschiedlich; sie werden vor dem Hintergrund vielfältiger und konfliktreicher Erwartungen formuliert, die in einer langen und dichten gesellschaftlichen Geschichte verwurzelt sind. Die ersten Regeln tendieren zur Universalität, die zweiten zur Partikularität.

Es ist also ein Irrtum, die Propheten für ihre universalistische Botschaft zu preisen; denn das Bewundernswerteste an ihnen ist ihr partikularistischer Zank und Streit – ein Streit, der auch, wie sie uns sagen, Gottes Streit mit den Kindern

Israels ist. In diesen Streit haben sie all ihren Zorn eingebracht und ihr poetisches Genie. Jene Zeile, die Amos Gott zuschreibt – »Aus allen Geschlechtern der Erde habe ich allein euch erwählt« –, hätte aus seinem eigenen Herzen kommen können. Er kennt eine Nation, eine Geschichte, und es ist diese Kenntnis, die seine Kritik so reich, so radikal, so konkret macht. Wir können dann die Regeln wieder abstrahieren und sie auf andere Nationen anwenden, aber das ist nicht der »Gebrauch«, zu dem Amos uns einlädt. Wozu er einlädt, ist nicht die Anwendung, sondern die Wiederholung. Jede Nation kann ihre eigene Prophetie haben, so wie sie auch ihre eigene Geschichte hat, ihre eigene Befreiung und ihren eigenen Streit mit Gott:

> Habe ich nicht Israel aus Ägyptenland geführt und die Philister aus Kaphtor und die Syrer aus Kir? (*Amos*, 9.7)

Anmerkungen

Mit Ausnahme der mit *A. d. Ü.* gekennzeichneten stammen alle Anmerkungen von Michael Walzer. In den Übersetzeranmerkungen werden neben Wortspielen und Anspielungen, die dem deutschen Leser nicht unmittelbar zugänglich sein mögen, für Nicht-Fachphilosophen auch terminologische und sachliche Bezüge der angelsächsischen moralphilosophischen Diskussion knapp erläutert. Im dritten Kapitel werden hier für die nicht bibelfesten unter den Lesern auch die Passagen des Buchs der Bücher angeführt, auf die sich Walzers Kommentar bezieht. Wo nicht anders angegeben, folgen wir der Lutherbibel in der 1912 revidierten Fassung.

(O. K.)

ANMERKUNGEN ZU KAPITEL I

1 Thomas Nagel, »The Limits of Objectivity«, in: *The Tanner Lecture on Human Values,* Vol. I (Salt Lake City 1980), S. 83. Vgl. dazu auch Th. Nagel, *The View from Nowhere,* Oxford 1986.

2 Nagel, »The Limits of Objectivity«, a.a.O., S. 109 f. Nagels eigene Gesellschaftskritik fußt auf gehaltvolleren Grundsätzen, aber ich bin mir nicht sicher, in welchem Maße diese auch »objektive« Prinzipien darstellen. Siehe dazu Thomas Nagel, *Mortal Questions*, Cambridge, UK 1979, Kapitel 5-8 (dt.: *Über das Leben, die Seele und den Tod,* Königstein/Ts. 1984).

3 *A. d. Ü.:* Im englischen Text *dis-incorporation*: wörtlich »Entkörperung«, d. h.: die Befreiung der moralischen Grundsätze von jenen alltäglichen Verhaltensweisen und verbreiteten Auffassungen, die sie in der gesellschaftlichen Wirklichkeit »verkörpern«.

4 Bentham legt zwar nahe, daß der Utilitarismus die einzige plausible Darstellung der Moralauffassung gewöhnlicher Menschen darstellt, sein Ehrgeiz geht jedoch weit darüber hinaus, bloß eine solche Bestandsaufnahme zu liefern. So beansprucht er, die Grundlagen der Moral entdeckt zu haben: »Die Natur hat die

Menschheit unter die Regierung zweier souveräner Herren gestellt, von Unlust und Lust *(pain and pleasure)*. Sie allein schreiben vor, was wir tun sollten« (*Principles of Morals and Legislation,* 1. Kapitel). Der Rest der *Principles* gibt vielmehr zu verstehen, daß diese beiden Herren gerade nicht immer das vorschreiben, was gewöhnliche Menschen denken, daß *sie* tun sollten.

5 *A. d. Ü.:* Im Original *felicific calculus,* also wörtlich »glücksbeförderndes Kalkül«. Gemeint ist das von Bentham aufgestellte utilitaristische Prinzip des ›größten Glücks der größten Zahl‹ oder in der Formulierung seines Schülers John Stuart Mill: die »Auffassung, für die die Nützlichkeit oder das Prinzip des größten Glücks die Grundlage der Moral ist (und) die besagt, daß Handlungen insoweit und in dem Maße moralisch richtig sind, als sie die Tendenz haben, Glück zu befördern, und insoweit moralisch falsch, als sie die Tendenz haben, das Gegenteil von Glück zu bewirken« (J. S. Mill, *Der Utilitarismus.* Übersetzt und mit einem Nachwort von Dieter Birnbacher, Stuttgart 1976, S. 13). Den besten Überblick über die aktuellen philosophischen Debatten zum Utilitarismus vermittelt der von Amartya Sen und Bernard Williams herausgegebene Sammelband *Utilitarism and beyond,* Cambridge, UK – Paris 1982.

6 *A. d. Ü.:* Im Original *philosophy is a second coming (lower case),* also wörtlich: »eine zweite Ankunft« – d. h. im Unterschied zur Ankunft des HERRN, dem biblischen *COMING*.

7 Nagel, »The Limits of Objectivity«, a.a.O., S. 110.

8 René Descartes, *Discours de la méthode pour bien conduire sa raison et chercher la vérité dans les sciences* (1637), Kapitel II, hier zit. nach der Übersetzung Kuno Fischers, »Abhandlung über die Methode«, in: René Descartes, *Ausgewählte Schriften.* Ausgewählt und mit einer Einleitung versehen von Ivo Frenzel, Frankfurt/M. 1986, S. 56.

9 Descartes, »Abhandlung über die Methode«, a.a.O., S. 57.

10 Descartes, »Abhandlung über die Methode«, a.a.O., S. 55.

11 *A. d. Ü.:* Im Original *design of a design procedure,* ein Wortspiel, das sich im Dt. nicht nachbilden läßt.

12 Descartes, »Abhandlung über die Methode«, a.a.O., S. 55.

13 John Rawls, *A Theory of Justice,* Cambridge, Mass. 1971 (dt.: *Eine Theorie der Gerechtigkeit.* Aus dem Amerikanischen von Hermann Vetter, Frankfurt/M. 1975).

14 *A. d. Ü.:* Gemeint ist der »Schleier des Nichtwissens« *(veil of ignorance),* hinter dem sich nach Rawls hypothetischer (Re-)

Konstruktion des Gesellschaftsvertrages alle Vertragsparteien im »Urzustand« *(original position)* befinden müssen, damit die Verfahrensgerechtigkeit zu fairen Grundsätzen gesellschaftlicher Verteilung von Macht und materiellen Gütern führen kann. Denn alle Vertragsteilnehmer »wissen nicht, wie sich die verschiedenen Möglichkeiten auf ihre Interessen auswirken würden, und müssen Grundsätze allein unter allgemeinen Gesichtspunkten beurteilen. Es wird also angenommen, daß den Parteien bestimmte Arten von Einzeltatsachen unbekannt sind. Vor allem kennt niemand seinen Platz in der Gesellschaft, seine Klasse oder seinen Status; ebensowenig seine natürlichen Gaben, seine Intelligenz, Körperkraft usw. Ferner kennt niemand seine Vorstellung vom Guten, die Einzelheiten seines vernünftigen Lebensplanes, ja, nicht einmal die Besonderheiten seiner Psyche wie seine Einstellung zum Risiko oder seine Neigung zu Optimismus und Pessimismus« (Rawls, *Eine Theorie der Gerechtigkeit*, a.a.O., S. 159).

15 *A. d. Ü.:* Das Konzept der »idealen Sprechsituation« als Begründungsverfahren der kommunikativen Ethik, auf das Michael Walzer sich hier kritisch bezieht, hat Jürgen Habermas zuerst in seinem Beitrag »Wahrheitstheorien« (1972) erläutert (jetzt in: J. Habermas, *Vorstudien und Ergänzungen zur Theorie des kommunikativen Handelns*, Frankfurt/M. 1984, S. 127-183, besonders S. 174ff.); vgl. auch die Ausführungen Habermas' in *Legitimationsprobleme im Spätkapitalismus*, Frankfurt/M. 1973 (v.a. S. 140ff. »Die Wahrheitsfähigkeit praktischer Fragen«). Habermas' Moralauffassung findet sich jetzt ausführlicher in den Beiträgen seines Buches *Moralbewußtsein und kommunikatives Handeln*, Frankfurt/M. 1983 (besonders in: »Diskursethik – Notizen zu einem Begründungsprogramm«, S. 53-125). Für ein ähnliches kritisches Argument wie das hier von Walzer vorgebrachte siehe Ernst Tugendhat, *Probleme der Ethik*, Stuttgart 1984, v.a. S. 108ff. (»Moral und Kommunikation«).

16 Jürgen Habermas, *Zur Rekonstruktion des Historischen Materialismus*, Frankfurt/M. 1979. Doch es gibt hier ein Dilemma: Sobald nämlich die Bedingungen dessen, was Habermas eine ideale Sprechsituation oder unverzerrte Kommunikation nennt, sehr detailliert spezifiziert werden, dann dürfen nur noch sehr wenige Dinge gesagt werden – und diese könnten wahrscheinlich auch vom Philosophen selbst gesagt werden, der uns alle repräsentiert. Es ist also gar nicht so, daß wir in der idealen

Sprechsituation eine wirkliche Wahl hätten, welche Meinungen wir uns schließlich bilden werden. Siehe dazu Raymond Geuss, *The Idea of a Critical Theory: Habermas and the Frankfurt School,* Cambridge, UK 1981, Kapitel 3, hier S. 72 (dt.: *Die Idee einer kritischen Theorie.* Aus dem Amerikanischen von Anna Kusser, Königstein i. Ts. 1983). Wenn jedoch die Bedingungen nur sehr grob festgelegt werden, so daß die ideale Sprechsituation eher einer demokratischen Diskussion ähnelt, dann dürfen die Teilnehmer fast alles sagen, und es gibt keinen Grund, warum die Ergebnisse dieser Diskussion nicht auch – manchmal – »höchst seltsam und sogar den guten Sitten widersprechend« (Descartes) ausfallen könnten.

17 *A. d. Ü.:* Lykurgos, der sagenhafte Begründer der Verfassung Spartas (der »Gesetzestafeln des Lykurg«), war natürlich keine historische Figur (so wie auch die spartanische Verfassung wahrscheinlich stückweise zwischen dem 8. und 6. vorchristlichen Jahrhundert entstanden ist), sondern die Verkörperung eines Gründungsmythos Spartas – ursprünglich wohl ein Gott.

18 *A. d. Ü.:* Gemeint ist der Grundsatz, daß in einer nach der Rawls'schen Theorie wohlgeordneten Gesellschaft soziale und wirtschaftliche Ungleichheiten, d. h. die besseren Chancen einer Gruppe von Gesellschaftsmitgliedern »genau dann gerecht (sind), wenn sie zur Verbesserung der Aussichten der am wenigsten begünstigten Mitglieder der Gesellschaft beitragen. Der intuitive Gedanke ist der, daß eine Gesellschaftsordnung nur dann günstigere Aussichten für Bevorzugte einrichten und sichern darf, wenn das den weniger Begünstigten zum Vorteil gereicht« (Rawls, *Eine Theorie der Gerechtigkeit,* a.a.O., S. 96). Nur dann nämlich würden sich alle Parteien des Gesellschaftsvertrags (die im »Urzustand« hinter dem »Schleier des Nichtwissens« ja noch keine Kenntnis über ihre wirkliche soziale Position haben dürfen und also davon ausgehen müssen, selbst an der unteren Skala zu landen) darauf einigen können. Siehe Anm. 14.

19 Bruce Ackerman, *Social Justice in the Liberal State,* New Haven 1980.

20 *A. d. Ü.:* D. h. des zweiten und fünften Buches Moses im Alten Testament. Vgl. dazu neben dem dritten Kapitel dieses Buches auch Michael Walzers Interpretation der *Exodus*-Gesetzgebung und des Bundes als ›Gesellschaftsvertrag‹ zwischen *moral agents,* also verantwortlichen Akteuren und moralisch gleichberechtigten Individuen: Michael Walzer, *Exodus und Revolution.*

Aus dem Amerikanischen von Bernd Rullkötter, Berlin 1988, ROTBUCH RATIONEN (vor allem Kapitel III »Der Bund: Ein freies Volk«, S. 81 ff.).

21 *A. d. Ü.:* Im Original *original position,* siehe Anm. 14 und 18.

22 Die Karikatur zielt eher auf Rawls' Epigonen als auf Rawls selbst, der vermutlich ihre erste Festlegung nicht akzeptieren würde.

23 *A. d. Ü.:* Im Original *not a way of life but a way of living.*

24 Franz Kafka (von Walzer zitiert nach Ernst Pawel, *The Nightmare of Reason. A Life of Franz Kafka,* New York 1984, S. 191), in: *Briefe,* Frankfurt/M. 1958, S. 58. Es handelt sich um eine Ansichtskarte Kafkas aus Tetschen an Max Brod vom 2. September 1908. (Mit vielem Dank d. Übers. an Klaus Wagenbach für das Nachstöbern in K.'s Korrespondenz.)

25 *A. d. Ü.:* Siehe dazu den schönen Text »Wir Flüchtlinge« von Hannah Arendt, in: dies., *Zur Zeit. Politische Essays.* Herausgegeben von Marie Luise Knott. Aus dem Amerikanischen von Eike Geisel, Berlin 1986 (Rotbuch Verlag), S. 7-21.

26 *A. d. Ü.:* Im Original *epistemic denial,* also ein dem Rawls'schen »Schleier des Nichtwissens« (s. Anm. 14, 18) vergleichbares, wenngleich schwächeres Verfahren.

27 Siehe John Rawls, »Justice as Fairness: Political Not Metaphysical«, in: *Philosophy and Public Affairs,* Vol. 14, Nr. 3 (1985), S. 236 (im Original: *device of representation*).

28 Siehe dazu Norman Daniels, »Wide Reflective Equilibrium and Theory Acceptance in Ethics«, in: *The Journal of Philosophy,* Vol. 76, Nr. 5 (1979), S. 256-282.

29 *A. d. Ü.:* Im Original *an entirely new city,* eine völlig neue Stadt – hier etwa im Sinne der platonischen *politeía* oder der *città del sole,* des »Sonnenstaats« der politischen Utopisten.

30 *A. d. Ü.:* Siehe Niccolò Machiavelli, *Il principe,* XV.; *Discorsi,* libr. III., 48 (für eine dt. Übersetzung: N. Machiavelli, *Politische Schriften.* Herausgegeben von Herfried Münkler, Frankfurt/M. 1990, hier: S. 63 ff.; S. 268).

31 *A. d. Ü.:* Siehe dazu M. Walzer, *Exodus und Revolution,* a.a.O., Kapitel II »Das Murren: Sklaven in der Wüste« (S. 51 ff.).

32 *A. d. Ü.:* Im Original *thick description,* wohl eine Anspielung auf das gleichnamige Buch von Walzers Kollegen am Institute for Advanced Study, des Ethnologen Clifford Geertz (dt.: *Dichte Beschreibung. Beiträge zum Verstehen kultureller Systeme.*

Aus dem Amerikanischen von Brigitte Luchesi und Rolf Bindemann, Frankfurt/M. 1983).

33 *A. d. Ü.:* Im Original *subversive of class and power,* d. i. subversiv gegenüber Klassenmacht und politischer Macht (= Herrschaft), hier wohl eher im Sinne der Terminologie Max Webers als Karl Marx'.

34 In einer Gesellschaft, in der die Kinder ihre Anstellung und soziale Stellung von ihren Eltern erbten und auch das, was sie für ihre Anstellung und Stellung wissen müssen, weitgehend von ihren Eltern lernten, wären »für alle Begabungen offene Karrierechancen« keine plausible oder vielleicht nicht einmal eine vorstellbare Idee. Karrieren zu planen ist schließlich keine universelle menschliche Erfahrung. Ebensowenig gibt es einen Grund für die Annahme, daß Männer und Frauen, die diese Erfahrung nicht kennen oder ihr nicht denselben Stellenwert einräumen, den sie für uns hat, deshalb moralisch umnachtet wären. Sollten wir ihnen diese Erfahrung aufdrängen? (Und wie sollten wir dies tun?) Erst wachsende soziale Differenzierung wird ihnen diese Erfahrung zugänglich machen – und ihnen gleichzeitig auch die notwendige moralische Sprache liefern, um sich über die Bedeutung dieser Erfahrung auseinandersetzen zu können.

35 David Hume, *A Treatise of Human Nature,* III. Buch (»Of Morals«), 2. Teil, 2. Kapitel, hier aus dem Englischen direkt übersetzt (dt. Ausgabe: *Traktat über die menschliche Natur.* Übersetzt von Theodor Lipps. Mit einer Einleitung von R. Brandt, Philosophische Bibliothek 283 a/b, Hamburg 1978).

36 Thomas S. Kuhn, *The Structure of Scientific Revolutions,* Chicago 1962 (dt.: *Die Struktur wissenschaftlicher Revolutionen.* Aus dem Amerikanischen von Hermann Vetter, Frankfurt/M. 1967).

37 Judah Halevi, *The Kuzari,* trans. Hartwig Hirschfeld, New York 1964, S. 58.

38 *A. d. Ü.:* Zum Unterschiedsprinzip siehe Anm. 18. Einen Überblick über die »Rawls-Diskussion« vermitteln die beiden Sammelbände von Norman Daniels (Hrsg.), *Reading Rawls,* Oxford 1975; und Otfried Höffe (Hrsg.), *Über John Rawls' Theorie der Gerechtigkeit,* Frankfurt/M. 1977. Für eine detaillierte Auseinandersetzung mit der Gleichheitsforderung, u. a. anhand des Rawls'schen Unterschiedsprinzips, siehe Michael Walzers grundlegendes Werk *Spheres of Justice. A Defence of Pluralism*

and Equality, New York 1983, hier vor allem das 1. Kapitel »Complex Equality« (S. 3-30).

39 Das ist der Einwand, den Ronald Dworkin gegen mein Buch *Spheres of Justice,* a.a.O., erhoben hat. Siehe seinen Artikel »To Each His Own«, in: *The New York Review of Books,* 14. April 1983, S. 4-6; und die folgende Debatte in: *The New York Review of Books,* 21. Juli 1983, S. 43-46.

40 *A. d. Ü.:* Im Original *people:* wörtlich also Volk, ein Ausdruck, der im Englischen allerdings von allen »völkischen« oder »volkstümlichen« Bedeutungen frei ist.

41 Michael Oakeshott, *Rationalism in Politics,* New York 1962, S. 123-125.

42 Ich meine Leser im weitesten Sinne, nicht allein andere Interpreten, Berufsleser, Fachleute dieser oder jener Couleur oder Mitglieder dessen, was man die ›Interpretationsgemeinschaft‹ genannt hat. Auch wenn diese Leute vielleicht die stringentesten Leser sind, stellen sie doch nur ein vermitteltes Auditorium dar. Doch die Interpretation einer moralischen Kultur zielt auf alle Männer und Frauen, die an dieser Kultur teilhaben – die Mitglieder einer ›Erfahrungsgemeinschaft‹, wie wir sie nennen könnten. Es ist ein notwendiges, wenngleich nicht hinreichendes Anzeichen für eine erfolgreiche Interpretation, daß solche Menschen sich in ihr (wieder)erkennen können. Siehe dazu auch R. Geuss, *The Idea of a Critical Theory,* a.a.O., S. 64 f.

43 Baba Betzia 59 b. Siehe auch Gershom Sholem, *The Messianic Idea in Judaism,* New York 1971, S. 282-303.

44 Vgl. den Midrash-Kommentar zu *Psalm* 12.7 (»Die Rede des Herrn ist lauter wie durchläutert Silber im irdenen Tigel, bewähret siebenmal.«): »Rabbi Yannai sagte: Die Worte der Torah wurden nicht als eindeutige Entscheidungen gegeben. Denn mit jedem Wort, mit dem der Eine und Heilige, gesegnet sei Sein Name, zu Moses sprach, gab er ihm neunundvierzig Argumente, durch die ein Ding als rein erwiesen werden könnte, und weitere neunundvierzig Argumente, durch die es als unrein zu beweisen sei. Als Moses darauf fragte: Herr des Weltalls, wie aber sollen wir den wahren Sinn des Gesetzes erkennen? – da antwortete Gott: Der Mehrheit ist zu folgen.« Die Mehrheit trifft keine willkürliche Entscheidung; ihre Mitglieder suchen nach dem besten unter den achtundneunzig Argumenten. *The Midrash on Psalms,* trans. William G. Braude, New Haven 1959, Bd. I, S. 173.

ANMERKUNGEN ZU KAPITEL II

1 *A. d. Ü.:* Im Original: *»Our country, right or wrong! When right to be kept right; when wrong to be put right!«*
2 *A. d. Ü.:* Die Reihe der zeitgenössischen Gesellschaftskritiker, die Walzer in seinem neuen Buch *The Company of Critics* (New York 1988) vorstellt, umfaßt Julien Benda, Randolph Bourne, Martin Buber, Antonio Gramsci, Ignazio Silone, George Orwell, Albert Camus, Simone de Beauvoir, Herbert Marcuse, Michel Foucault und Breyten Breytenbach.
3 Georg Simmel, »Exkurs über den Fremden«, in: ders., *Soziologie. Untersuchungen über die Formen der Vergesellschaftung,* Leipzig 1908 (5. Auflage 1968), Kap. IX.
4 *A. d. Ü.:* Vgl. Charles de Montesquieu, *Lettres persanes.* Herausgegeben von Jean Starobinski, Paris (collection »Folio«) 1973 (dt.: Montesquieu, *Perserbriefe.* Aus dem Französischen von Jürgen von Stackelberg, Frankfurt/M. 1988).
5 *A. d. Ü.:* Anspielung auf die Thesen etwa von Daniel Bell oder Alvin W. Gouldner; vgl. in Deutschland die Intellektuellenschelte des »Antisoziologen« Helmut Schelski.
6 »Jede neue Klasse nämlich, die sich an die Stelle einer vor ihr herrschenden setzt, ist genötigt, schon um ihren Zweck durchzuführen, ihr Interesse als gemeinschaftliches Interesse aller Mitglieder der Gesellschaft darzustellen, d. h. ideell ausgedrückt: ihren Gedanken die Form der Allgemeinheit zu geben, sie als die einzig vernünftigen, allgemein gültigen vorzustellen.« Karl Marx/Friedrich Engels, *Die Deutsche Ideologie,* hier zitiert nach: »Neuveröffentlichung des Kapitels I des I. Bandes der *Deutschen Ideologie* von Karl Marx und Friedrich Engels«, hrsg. vom Institut für Marxismus-Leninismus beim ZK der SED, in: *Deutsche Zeitschrift für Philosophie,* Heft 10/1966, S. 1192-1254 (hier: S. 1226).
7 Antonio Gramsci, *Quaderni del Carcere.* Edizione critica dell' Istituto Gramsci. A cura di Valentino Gerratana, Torino 1975, Bd. III, S. 1591 (dt.: A. Gramsci, *Philosophie der Praxis. Eine Auswahl.* Herausgegeben und übersetzt von Christian Riechers, Frankfurt/M. 1967, S. 311; Übersetzung hier leicht modifiziert).
8 Ignazio Silone, *Bread and Wine,* trans. Gwenda David and Eric Mosbacher, New York 1937, S. 157f. Silones eigener Werdegang legt nahe, daß man auf dieselbe Art und Weise aufhört, ein

Revolutionär zu sein, indem man nämlich den Glauben der revolutionären Partei mit ihrer tatsächlichen Praxis vergleicht. *(A. d. Ü.:* Die hier von Walzer zitierte Stelle, die auf der ersten Ausgabe von Ignazio Silones *Pane e vino* (Zürich 1937) beruht, hat Silone in der späteren Ausgabe *Vino e pane* (Milano 1955) überarbeitet, auf der die deutsche Übersetzung (von Hanna Dehio) beruht: *Wein und Brot,* Köln 1974 (vgl. dort S. 319-323 die »Anmerkung des Autors« zu dieser Überarbeitung). Silone schildert in der späteren Version das Gespräch zwischen dem revolutionären Priester Don Paolo und dem Apothekerssohn Pompeo folgendermaßen:

»... ›Wir gehören nicht zu derselben Generation‹, sagte Don Paolo, ›wohl aber zu derselben Art von Menschen. Zu denen nämlich, die die Grundsätze ernst nehmen, die Eltern, Lehrer oder Priester ihnen verkünden. Auf diesen Grundsätzen soll angeblich unsere Gesellschaft aufgebaut sein, aber es ist leicht festzustellen, daß sie ihnen in Wirklichkeit widerspricht oder sie zum mindesten nicht beachtet. Die meisten Menschen sind Skeptiker und finden sich damit ab, die anderen werden Revolutionäre.‹ – ›Die Skeptiker behaupten, der Widerspruch zwischen Lehre und Wirklichkeit sei eine Tatsache, an der nichts zu ändern ist‹, sagte Pompeo. ›Was soll man ihnen antworten?‹ – ›Auch Revolutionen sind Tatsachen‹, sagte Don Paolo. ›Jeder muß seine Wahl treffen.‹ – ›Sie haben recht‹, sagte Pompeo. ›Die Frage ist: was will man aus seinem Leben machen.‹« (S. 182)

Siehe auch wenige Seiten zuvor (S. 173) das in gewisser Weise parallele Gespräch der Herrschenden im Hause des zynischen Advokaten Zabaglione:

»... ›Die junge Generation ist gefährlich‹, sagte Don Luigi. ›Es ist, wie soll ich sagen, die Generation, die die Rechnung präsentiert. Die jungen Leute haben es wörtlich genommen, daß die ständischen Korporationen das Ende des Kapitalismus bedeuten, also wollen sie den Kapitalismus abschaffen.‹ – ›Da haben wir die Wurzel allen Übels‹, sagte Zabaglione. ›Eine Theorie wörtlich nehmen. Kein Regierungsprogramm darf wörtlich genommen werden. Wo käme man sonst hin? Habt ihr die heutige Zeitung gelesen? In Rußland ist die Todesstrafe für Jugendliche wieder eingeführt worden. Wahrscheinlich, weil es Jugendliche gibt, die die Verfassung des Sowjetstaates buchstäblich genommen haben ...‹«

Inzwischen hat auch in der italienischen kommunistischen Partei eine Neubewertung des lange als »Renegaten« exkommunizierten Kritikers Ignazio Silone begonnen. Siehe den Artikel von Giancarlo Bosetti und das unveröffentlichte Silone-Interview d. J. 1939 in der PCI-Tageszeitung *L'Unità,* 20. 5. 1990. Eine ausführliche Auseinandersetzung Michael Walzers mit Ignazio Silone findet sich im 6. Kapitel »Ignazio Silone: ›The Natural‹« seines letzten Buches *The Company of Critics,* a.a.O., S. 101-116.)

9 Gramsci, *Quaderni del Carcere,* a.a.O., Bd. II, S. 1058. Dieselbe These kann auch für das bürgerliche *Credo* aufgestellt werden. So sagt Alexis de Tocqueville über die Radikalen von 1789, »daß sie, ohne es zu wissen, großenteils die Gesinnungen, Gewohnheiten, ja sogar die Ideen des alten Staates beibehalten hätten, mit deren Hilfe sie die Revolution, die ihn vernichtete, bewerkstelligten«. Alexis de Tocqueville, *Der alte Staat und die Revolution.* In der Übersetzung von Theodor Oelckers, herausgegeben von Jacob P. Mayer, München 1978, S. 9.

10 Siehe dazu Bernice Hamilton, *Political Thought in Sixteenth-Century Spain: A Study of the Political Ideal of Vitoria, De Soto, Suarez, and Molina,* Oxford 1963, S. 125-129. Vitoria behauptet, Spanien habe kein Recht, das Naturrecht in Mittelamerika mit Gewalt durchzusetzen, da die Indianer kein solches Recht »anerkennen«; aber Spanien habe nach dem Naturrecht sehr wohl das Recht, Unschuldige zu verteidigen: »Niemand kann einem anderen Menschen das Recht verleihen, ihn als Nahrung oder Opfer zu töten. Es ist übrigens unbestreitbar, daß diese Menschen – Kinder z. B. – in den meisten Fällen gegen ihren Willen getötet werden; und daher fordert das Naturrecht, sie zu schützen.« (zitiert a.a.O., S. 128)

11 Thomas Scanlon, »Contractualism and Utilitarism«, in: A. Sen/ B. Williams (Hrsg.), *Utilitarism and Beyond,* a.a.O., S. 116.

12 *»The only evil that walks / Invisible, except for God alone«:* John Milton, *Paradise lost* (Zeile 683 f.).

13 *A. d. Ü.:* Marcus Porcius Cato, genannt Censorius (234-149), war der bekannteste konservative Politiker Roms im zweiten vorchristlichen Jahrhundert: Er kämpfte nicht nur (mit seinem berühmten Spruch *ceterum censeo ...*) für die Zerstörung des »Erbfeinds« Karthago, sondern für die Wiederherstellung der altrömischen *virtus,* im Gegensatz zu einer kulturellen Öffnung des römischen Reiches gegenüber der griechischen und »helleni-

stischen« Kultur. So ist es nicht verwunderlich, daß sein Name auch über einem mehrere Jahrhunderte später zustandegekommenen ethischen Handbuch *Dicta Catonis* steht, das in Versform zahlreiche Maximen und Sinnsprüche von Cato selbst, aber auch von Seneca oder Horaz versammelt, und dann im Mittelalter zum verbreiteten Schulbuch wurde.

14 Arthur Koestler, *Arrow in the Blue*, New York 1984, S. 133.

15 Thomas Nagel, »Limits of Objectivity«, a.a.O., S. 115.

16 Das führt zur Vermutung, daß ›Selbst Nr. 2‹ der geeignete Autor einer Geschichte oder Soziologie, vielleicht sogar einer Philosophie der Kritik ist (mein eigenes zweites Selbst schreibt gerade diese Worte). Aber der bessere Kritiker ist – ›Selbst Nr. 1‹.

17 John Locke, *A Letter Concerning Toleration*. Mit einer Einleitung von Patrick Romanell, Indianapolis 1950, S. 34f. (Hier aus dem Englischen übersetzt. Für die dt. Ausgabe siehe: Locke, *Ein Brief über Toleranz*. Übersetzt von Julius Ebbinghaus, Philosophische Bibliothek 289, Hamburg 1975).

18 *A. d. Ü.:* Vgl. John Locke, *Zwei Abhandlungen über die Regierung*. Herausgegeben und eingeleitet von Walter Euchner, Frankfurt/M. 1977, S. 202. Locke zitiert hier im zweiten Kapitel (»Der Naturzustand«) des zweiten *Treatise* zur Bekräftigung seiner Lehre von der »natürlichen Gleichheit der Menschen« ausführlich aus Richard Hookers *Of the Laws of Ecclesiastical Politicy*. »Diese natürliche *Gleichheit* der Menschen ist in den Augen des scharfsinnigen *(judicious)* Hooker so selbstverständlich und außer Frage, daß er sie als Grundlage für jene Verpflichtung zur gegenseitigen Liebe unter den Menschen ansieht, auf der er die Pflichten, die wir einander schuldig sind, aufbaut und von der er die großen Maximen der *Gerechtigkeit* und der *Barmherzigkeit* ableitet.« Der scharfsinnige Hooker (1554-1600) war der bedeutendste anglikanische Theologe der elisabethanischen Zeit.

19 Karl Marx, *Das Kapital. Kritik der politischen Ökonomie*. Erster Band, »Der Produktionsprozeß des Kapitals« (= *Marx Engels Werke*, Bd. 23), Berlin 1972, S. 267.

20 Jean-Paul Sartre, »Plädoyer für die Intellektuellen«, in: ders., *Mai '68 und die Folgen. Reden, Interviews, Aufsätze*. Aus dem Französischen von Dietrich Leube, Bd. 2, Reinbek 1975, S. 43.

21 Sartre, a.a.O., S. 42.

22 Sartre, a.a.O., S. 41.

23 Sartre, a.a.O., S. 42.

24 Vgl. die Worte eines weitaus stärker bedrängten Kritikers seiner eigenen Gesellschaft, den afrikaanischen Schriftsteller André Brink: »Wenn der dissidente Afrikaaner heute seitens des burischen Establishments eine derart gewaltsame Reaktion erfährt, so deshalb, weil er als ein Verräter an allem angesehen wird, für das das Afrikaanertum steht (da die Apartheid für sich diese Definitionsmacht usurpiert hat) – wohingegen in Wirklichkeit doch der Dissident dafür kämpft, die positivsten und kreativsten Bestandteile des afrikaaner Erbes durchzusetzen.« (A. Brink, *Writing in a State of Siege: Essays on Politics and Literature,* New York 1983, S. 19.) Brink ist ein verbundener Kritiker, aber das schließt nicht aus, daß er eines Tages ins Exil getrieben werden kann, vielleicht sogar in eine Art moralischen Exils, das ihn jenseits seines mutigen »Wohingegen«-Standpunkts führte.

25 *Pirke Avot* (Sprüche der Väter), 1.10.

26 Antonio Gramsci, *Quaderni del Carcere,* a.a.O., Bd. III, S. 1525 (in der dt. Auswahl nicht enthalten).

27 W. I. Lenin, »Was tun?« (1902), hier zitiert nach: *Lenin Studienausgabe,* Bd. 1 (hrsg. von Iring Fetscher), Frankfurt/M. 1970, S. 104.

28 Man könnte hier leichter an Untergruppen innerhalb größerer Gesellschaften denken, auf die diese Beschreibung zutrifft, z. B. eng in sich abgeschlossene orthodoxe Religionsgemeinschaften etwa der Amish oder der chassidischen Juden in den Vereinigten Staaten von heute. Orthodoxie als solche ist *kein* Hindernis für interne Kritik, wie die endlose Geschichte der Häresien im mittelalterlichen Christentum oder der Dissidenten innerhalb der (selbst bereits dissentierenden) protestantischen Religionsgemeinschaften deutlich genug beweist. Aber je schmaler die Gemeinschaft ist und je mehr sie einer belagerten Festung gleicht, um so geringer ist die Wahrscheinlichkeit, daß sie für den mit ihr verbundenen Kritiker noch kritische Ressourcen bereitstellt. Er wird sich dann auf eine umfassendere politische oder religiöse Tradition berufen müssen, innerhalb derer seine eigene Gemeinschaft (unbequem) angesiedelt ist – so wie ein Kritiker der Amish-Gesellschaft oder der chassidischen Gesellschaft sich auf den Protestantismus oder die jüdische Tradition oder noch allgemeiner auf die liberalen Traditionen Amerikas berufen könnte.

ANMERKUNGEN ZU KAPITEL III

1 Siehe Johannes Lindblom, *Prophecy in Ancient Israel,* Oxford 1962, Kapitel 1. und 2.; Joseph Blenkensopp, *A History of Prophecy in Israel,* London 1984, Kapitel 2.

2 Max Weber, »Das antike Judentum«, in: ders., *Gesammelte Aufsätze zur Religionssoziologie,* herausgegeben von Marianne Weber, Bd. III, Tübingen 1921, S. 283.

3 *A. d. Ü.:* Vgl. M. Weber, a.a.O., S. 285: »Wenn dieser Prophet (Amos) Gottes Zorn über Israel verkündigt, weil man das Prophezeien zu unterdrücken versuche, so war das etwa das gleiche, wie wenn ein moderner Demagoge Preßfreiheit verlangt. Tatsächlich war auch das Prophetenwort nicht auf mündliche Mitteilung beschränkt. Bei Jeremia tritt es als offener Brief auf. Oder Freunde und Jünger des Propheten zeichnen das gesprochene Wort auf und es wird zur politischen Flugschrift. Später, oder gelegentlich (wie ebenfalls bei Jeremia) schon gleichzeitig, werden diese Blätter gesammelt und revidiert: die früheste unmittelbar aktuelle politische Pamphletliteratur, die wir kennen.«

4 Lindblom, *Prophecy in Ancient Israel,* a.a.O., S. 313.

5 Siehe James Luther May, *Amos: A Commentary,* Philadelphia 1969, S. 11, S. 93.

6 *A. d. Ü.:* Zum »Bund« *(covenant)* Israels vgl. ausführlich das dritte Kapitel »Der Bund: Ein freies Volk« in Michael Walzers Buch *Exodus und Revolution,* a.a.O., S. 81-106.

7 *A. d. Ü.:* Vgl. Max Weber, »Das antike Judentum«, a.a.O., S. 292 f.: (Die Verbreitung der sozialethischen Forderungen des vorexilischen Prophetentums) »geschah durch Vermittlung derjenigen *Intellektuellen*schichten, welche die Erinnerung an die alten Traditionen der vorsalomonischen Zeit pflegten und ihnen sozial nahestanden. (...) als ständisches Prinzip entspricht jene Praxis der Unentgeltlichkeit (sc. der prophetischen Orakel) der gleichartigen Praxis gerade vornehmer Intellektuellenschichten (...). Auch ihre ›Gemeinde‹, soweit man den Ausdruck gebrauchen kann, fanden die Propheten keineswegs nur oder vorwiegend im Demos. Im Gegenteil: wenn sie überhaupt einen persönlichen Anhalt hatten, so waren einzelne vornehme fromme Häuser in Jerusalem die Patrone, zuweilen durch mehrere Generationen.«

8 Moshe Greenberg, *Biblical Prose Prayer as a Window to the Popular Religion of Ancient Israel,* Berkely 1983.

9 Siehe Anthony Phillips, »Prophecy and Law«, in: R. Coggings/A. Phillips/M. Knibb (Hrsg.), *Israel's Prophetic Tradition,* Cambridge 1982, S. 218.

10 *A. d. Ü.:* »Da sandte Amazja, der Priester zu Beth-El' zu Jerobeam, dem König Israels, und ließ ihm sagen: Der Amos macht einen Aufruhr wider dich im Hause Israel; das Land kann seine Worte nicht ertragen. Denn so spricht Amos: Jerobeam wird durchs Schwert sterben, und Israel wird aus seinem Lande gefangen weggeführt werden. Und Amazja sprach zu Amos: Du Seher, gehe weg und flieh ins Land Juda und iß Brot daselbst und weissage daselbst. Und weissage nicht mehr zu Beth-El'; denn es ist des Königs Heiligtum und des Königs Haus. Amos antwortete und sprach zu Amazja: Ich bin kein Prophet, auch keines Propheten Sohn, sondern ich bin ein Hirt, der Maulbeeren abliest; aber der Herr nahm mich von der Herde und sprach zu mir: Gehe hin und weissage meinem Volk Israel! So höre nun des Herren Wort. Du sprichst: Weissage nicht wider Israel und predige nicht wider das Haus Isaak! Darum spricht der Herr also: Dein Weib wird in der Stadt zur Hure werden, und deine Söhne und Töchter sollen durchs Schwert fallen, und dein Acker soll durch die Schnur ausgeteilt werden; du aber sollst in einem unreinen Lande sterben, und Israel soll aus seinem Lande vertrieben werden.« (*Amos,* 7.10-17)

11 M. Greenberg, *Biblical Prose Prayer as a Window to the Popular Religion of Ancient Israel,* a.a.O., S. 56.

12 *A. d. Ü.:* »Da aber Gott sah ihre Werke (sc. die der Bewohner Ninives, denen er durch Jona hatte ihren Untergang prophezeien lassen), daß sie sich bekehrten von ihrem bösen Wege, reute ihn des Übels, das er geredet hatte ihnen zu tun, und tat's nicht.« (*Jona,* 3.10)

13 Yehezkel Kaufmann, *The Religion of Israel,* trans. Moshe Greenberg, Chicago 1960 (S. 282-284), vertritt die These, das Buch Jona datiere in der uns vorliegenden Fassung aus dem achten Jahrhundert v. Chr., aber nur wenige Forscher stimmen mit ihm überein.

14 *A. d. Ü.:* »Der Herr zeigte mir ein Gesicht, und siehe, da stand einer, der machte Heuschrecken im Anfang, da das Grummet aufging; und siehe, das Grummet stand, nachdem der König hatte mähen lassen. Als sie nun das Kraut im Lande gar abgefressen hatten, sprach ich: Ach Herr Herr, sei gnädig! Wer will Jakob wieder aufhelfen? denn er ist ja gering. Da *reute* es den

Herrn, und er sprach: Wohlan, es soll nicht geschehen.« (*Amos,* 7.1-3)

15 *A. d. Ü.:* Walzer bezieht sich hier auf die Geschichte des goldenen Kalbes im 32. Kapitel des zweiten Buches Mose, in dem Gott über den Abfall des Volkes erzürnt ist: »Sie sind schnell von dem Wege getreten, den ich ihnen geboten habe. Sie haben sich ein gegossenes Kalb gemacht und haben's angebetet und ihm geopfert (...). Und der Herr sprach zu Mose: Ich sehe, daß es ein halsstarriges Volk ist. Und nun laß mich, daß mein Zorn über sie ergrimme und sie vertilge; so will ich dich zum großen Volk machen. Mose aber flehte vor dem Herrn, seinem Gott, und sprach: Ach Herr, warum will dein Zorn ergrimmen über dein Volk, daß du mit großer Kraft und starker Hand hast aus Ägyptenland geführt? (...) Also *gereute* den Herrn das Übel, das er drohte seinem Volk zu tun.« (*Exod.,* 32.8-14) Zur Interpretation dieser Geschichte siehe auch das zweite Kapitel in Walzers *Exodus und Revolution,* a.a.O., vor allem S. 64-75.

16 *A. d. Ü.:* In diesem Falle wurde nach der Buber/Rosenzweig-Übersetzung zitiert (in der 1912 modernisierten Luther-Übersetzung, der wir ansonsten folgen, lautet der Satz: »Es sind noch vierzig Tage, und Ninive wird *untergehen*«), da sich im deutschen Text ansonsten nicht die hebräische Wortgleichheit von ›umstürzen‹ zum Untergang Sodoms und Gomorras ergibt – »ER aber ließ auf Sodom und auf Gomorra Schwefel und Feuer regnen, von IHM her, vom Himmel, *um stürzte* er diese Städte und all den Gau, alle Insassen der Städte und das Gewächs ihres Ackers.« (*Gen.,* 19.25) –, auf die Walzer im folgenden Satz hinweist. Siehe: *Die Schrift.* Verdeutscht von Martin Buber gemeinsam mit Franz Rosenzweig, Neuauflage Heidelberg 1981-1985, hier: Bd. 3, *Bücher der Kündigung,* S. 666; sowie Bd. 1, *Die fünf Bücher der Weisung,* S. 52.

17 *A. d. Ü.:* Auch hier folgt die Übersetzung der Buber/Rosenzweig-Version der Schrift, die in beiden Fällen von »Unbill« spricht (a.a.O., Bd. 1, S. 24; Bd. 3, S. 666).

18 Nahum Sarna, *Understanding Genesis. The Heritage of Biblical Israel,* New York 1970, S. 145.

19 *A. d. Ü.:* In der englischen *King James-Bible,* die Walzer benutzt, lautet die Übersetzung von »Unbill« *violence*: Gewalt.

20 Max Weber, »Das antike Judentum«, a.a.O., S. 316.

20 Martin Buber, *Der Glaube der Propheten,* Heidelberg 1984, S. 139.

22 Lindblom, *Prophecy in Ancient Israel,* a.a.O., S. 344.

23 M. Weber, »Das antike Judentum«, a.a.O., S. 289, S. 328-331.

24 Alternativ dazu wird manchmal auch darauf hingewiesen, daß Amos im Namen Gottes sprechen kann, während wir uns auf keine derartige Autorität berufen können. Natürlich macht das einen Unterschied, allerdings keinen relevanten. Kritik schreitet immer im Konflikt voran, der relevante Vergleich muß somit zwischen dem Kritiker und seinem Gegner angestellt werden, nicht aber zwischen Kritikern verschiedener Kulturen. Und Amos' Gegner sprachen ebenfalls im Namen Gottes, während die Gegner heutiger Gesellschaftskritik in der Regel keinen derartigen Anspruch stellen. Was sich über unterschiedliche Kulturen hinweg ähnelt, ist die Ähnlichkeit innerhalb der Kulturen: dieselben Ressourcen – die als Autorität geltenden Texte, Erinnerungen, Werte, Praktiken, Vereinbarungen – sind den Gesellschaftskritikern ebenso zugänglich wie den Verteidigern des *status quo.*

25 Walther Zimmerli behauptet, daß die Propheten weitaus radikaler mit der Vergangenheit brechen, als dieser letzte Abschnitt dies nahelegt. Die prophetische »Proklamation« überwindet das Material der Tradition, auch wenn sie es ausbeutet und kann daher nicht unter dem Ausdruck »Interpretation« begriffen werden. Die Tradition »im besten Wortsinne zerspringt und wird zu einer leeren Schale bloßer historischer Bruchstücke« (W. Zimmerli, »Prophetic Proclamation and Reinterpretation«, in: Douglas Knight (Hrsg.), *Tradition and Theology in the Old Testament,* Philadelphia, o. J., S. 99). Doch diese Auffassung verkennt den Inhalt der prophetischen Proklamation, die Regeln oder Maßstäbe, die Israel vorgehalten werden. Das Urteil wäre völlig willkürlich, wenn es sich nicht auf Maßstäbe beziehen könnte, mit denen die Menschen vertraut waren (oder als vertraut gelten konnten). Amos bezieht sich systematisch auf solche Maßstäbe.

26 M. Greenberg, *Biblical Prose Prayer,* a.a.O., S. 52.

27 Martin Smith, *Palestinian Parties and Politics that Shaped the Old Testament,* New York 1971, S. 139.

28 Siehe etwa J. Blenkensopp, *History of Prophecy,* a.a.O., S. 95; Henry McKeating, *The Cambridge Bible Commentary: Amos, Hosea, Micah,* Cambridge 1971, S. 5.

29 McKeating, *The Cambridge Bible Commentary: Amos, Hosea, Micah,* a.a.O., S. 47.

30 *A. d. Ü.:* Hier wieder nach der Buber/Rosenzweig-Übersetzung (Bd. 3, S. 644): »Weh, / ihr Sorglosen auf dem Zion, / ihr Sichern auf dem Berg Samariens.«

31 Vgl. die von Raymond Geuss bevorzugte Version (es ist nicht die einzige Version) von kritischer Theorie: »Eine kritische Theorie richtet sich an die Mitglieder *dieser* bestimmten sozialen Gruppe (...) Sie beschreibt *ihre* Erkenntnisprinzipien und *ihr* Ideal des ›guten Lebens‹ und demonstriert, daß eine Überzeugung, die sie hegen, für Handelnde, die an ihren Erkenntnisprinzipien festhalten, reflexiv inakzeptabel ist und für Handelnde, die diese bestimmte Art ›guten Lebens‹ zu verwirklichen trachten, eine Quelle der Frustration darstellen muß« (Geuss, *The Idea of a Critical Theory,* a.a.O., S. 63).

32 Siehe James Luther May, *Amos. A Commentary,* a.a.O., S. 164 f.; vgl. McKeating, *The Cambridge Bible Commentary: Amos, Hosea, Micah,* S. 69 f.

33 *A. d. Ü.:* Die entsprechende Stelle im *Deuteronomium* – sie folgt auf die Erneuerung des Bundes und findet sich in Moses Trost- und Mahnrede an die Stämme Israels vor dem Übergang ins gelobte Land – lautet: »Siehe, ich habe dir heute vorgelegt das Leben und das Gute, den Tod und das Böse, der ich dir heute gebiete, daß du den Herrn, deinen Gott, liebest und wandelst in seinen Wegen und seine Gebote, Gesetze und Rechte haltest und leben mögest und gemehrt werdest und dich der Herr, dein Gott, segne in dem Lande, in das du einziehst, es einzunehmen. Wendest du aber dein Herz und gehorchst nicht, sondern lässest dich verführen, daß du andere Götter anbetest und ihnen dienest, so verkünde ich euch heute, daß ihr umkommen und nicht lange in dem Lande bleiben werdet, dahin du einziehst über den Jordan, um es einzunehmen.« (*Deut.,* 30.15-19)

34 M. Weber, »Das antike Judentum«, a.a.O., S. 295 (Weber bezieht sich hier explizit auf den Geiz, »d. h. die Bewucherung der Armen«).

Otto Kallscheuer
Michael Walzers kommunitärer Liberalismus oder Die Kraft der inneren Opposition
Nachwort

> Der Liberalismus (...) hat ein aktives Interesse an der Arbeit sozialer Institutionen, die einen Bezug – positiver oder negativer Art – zum Wachstum des Individuums haben, das in der Praxis robust werden soll, und nicht nur in abstrakter Theorie.
>
> *John Dewey (1932)*

I.

Eine der möglichen Deutungen der kommunistischen oder staatssozialistischen Regimes ist die eines »aufgeklärten Despotismus«. Der Herrscher wird allerdings im kommunistischen Staatswesen nicht mehr bloß – wie weiland Katharina die Große von Rußland oder Friedrich II. von Preußen durch Tischgespräche mit Voltaire – über das »Weltniveau« von Vernunft und historischem Fortschritt auf dem laufenden gehalten; in Gestalt der sich auf eine »wissenschaftliche Weltanschauung« stützenden Avantgarde und Staatspartei fallen vielmehr das Monopol der Staatsgewalt und das Wissenschaftsmonopol zusammen. Vor unser aller Augen zerbricht heute diese monokratische Herrschafts- und Wissensstruktur im ehemaligen Ostblock.

Wie es scheint, werden damit zwar die Philosophenkönige und Generalsekretäre der wissenschaftlichen Weltanschauung arbeitslos (wobei an ihre Stelle freilich alsbald bewaffnete Propheten und Imame treten könnten), doch die philosophischen Berater des »Fürsten« Niccolò Machiavellis sind keineswegs ausgestorben. Sie haben nur das System gewechselt: der Weltgeist weht heute eher am Potomac, Washington D. C., als über dem Roten Platz. Die erste Meldung des Weltgeistes kam aus dem State Department: »Das Ende der Geschichte« sei endlich erreicht. Dies verkündete im Sommer 1989 die Überschrift des Artikels, den die *Washington Post* aus dem *National Interest* übernommen hatte, einer der Gazetten des US-amerikanischen Neokonservatismus. Mit dem Scheitern der kommunistischen Regimes stehe der Westen endlich ohne jeglichen ideologischen Widerpart in der Weltgesellschaft da. Zwar gebe es da noch einige kleinere Widersprüche, doch die »bizarren Gedanken, die den Geist einiger Leute in Albanien oder Burkina-Faso durchkreuzen mögen«, spielten universalgeschichtlich keine Rolle mehr. Vom philosophischen Standpunkt aus habe sich vielmehr die »politisch-ökonomische Struktur« der liberalen Demokratie »als endgültige Form der menschlichen Regierung« etabliert.

Francis Fukuyama, zuvor Forscher bei der Rand Corporation (dem »think tank« der US-Air Force in Santa Monica, California), heute als Vizechef des Centers für Politikplanung beim State Department in Washington Denker im Dienste der Bush-Administration, heißt das neue Sprachrohr des Weltgeistes. Fukuyamas *message* lautete: »Vielleicht erleben wir nicht allein das Ende des Kalten Krieges oder einer Phase der Nachkriegszeit, sondern das Ende der Geschichte als solcher: den Endpunkt der ideologischen Entwicklung der Menschheit und die Verallgemeinerung der westlichen liberalen Demokratie.«

Einer der prominentesten Strategieberater des Pentagon, der Politologe Edward Luttwak, war trotz des Zusammenbruchs des Ostblocks mit dieser etwas zu idyllischen Version des Endes der Geschichte allerdings nicht einverstanden. Von der Unterschätzung der äußeren Gefahren – der strategischen Drohkapazitäten des russischen Imperiums unter Gorbatschow – einmal abgesehen, stehe der westliche liberale Kapitalismus vor einer neuen, *inneren* Gefahr, schrieb Luttwak im *Commentary* (Juni 1990), der als Zentralorgan des US-Neokonservatismus gilt: »Ich glaube, man kann diese Kraft im Muster einiger kollektiver Vorstellungen erblicken, die eine grundlegende Kritik des demokratischen Kapitalismus und eine Reihe alternativer Vorschläge enthalten. Nennen wir dieses Ensemble von politischen Kräften und Vorstellungen *communitarianism.*«

Das Wort ist schwer zu übersetzen: »Kommunitarismus« im Sinne der Betonung von Gemeinschaftsgeist, von Verbundenheit mit einer bestimmten politischen und moralischen *community* (auf die moralphilosophischen Akzente wird noch einzugehen sein). Dieser *communitarianism* – so jedenfalls Luttwak – vereine in sich lokalistische und ökologistische Tendenzen, eine Verteidigung lokaler Lebensformen und Privilegien einerseits und die Berufung auf planetarische ökologische Verantwortung andererseits. Langfristig sei er viel gefährlicher als der kommunistische äußere Feind, das sowjetische System. Anders als der *communism* – so Luttwak – »leugnet der *communitarianism* nämlich keine der großartigen Errungenschaften des demokratischen Kapitalismus. Er erkennt sie allesamt an, ja, sie dienen ihm noch als Argument, um dann zu sagen: Danke, daß ihr uns bis zu diesem Punkt geführt habt, der – in der Tat – einen großen Wohlstand und gewaltige Entwicklungen ermöglicht. Jetzt aber ist es genug. Von jetzt ab werden wir jede weitere Entwicklung verhindern, weil wir sie in unserem Gebiet nicht haben wollen und weil wir sie als schädlich für die Natur, für Tiere und Menschen ansehen.«

Lassen wir diese Karikatur der Ziele von Bürgerrechts-, Ökologie-, Konsumenten- und überhaupt gesellschaftskritischen Bewegungen in den Vereinigten Staaten auf sich beruhen und wenden uns statt dessen der besonderen ideellen Kraft zu, die die »kommunitäre« Denkrichtung für Pentagon-Strategen zum neuen inneren Feinde des Westens stempelt: »Im Gegensatz zum Kommunismus wird der *communitarianism* nicht als politische und ideologische Seele einer anderen Nation entstehen. In jedem Lande, und insbesondere in Amerika, wird er vielmehr *von innen* wachsen und sich um die

Kontrolle jedes Ortes, jeder Initiative, jeder verantwortlichen Stellung bemühen.« Mit anderen Worten: Er betreibt das Geschäft der demokratischen Opposition.

2.

Nicht nur in diesem Sinne – als Theoretiker ziviler Opposition aus der Tradition der amerikanischen Demokratie selbst – kann man Michael Walzer, einen der wichtigsten Philosophen der US-amerikanischen »liberalen« Linken, als einen *communitarian* ansehen, sondern auch als Vertreter einer »kommunitären« Denkrichtung in der Sozial- und Moralphilosophie. Doch bleiben wir zunächst bei der politischen Bedeutung seiner liberalen Kritik am Gesellschaftsbild des ökonomischen Liberalismus, wie es heute in den USA von den führenden Neokonservativen vertreten wird. Gegen dieses Bild, das sich auf das Eigentümer-Individuum als letzte Legitimationsbasis von politischer Ordnung und politischem Handeln stützt, vertritt Walzer als politischer Philosoph einen sozialen Liberalismus: als ethisch-politisches Programm, das die »Verteidigung von Pluralismus *und* Gleichheit«, wie der Untertitel seines wichtigsten moralphilosophischen Buches *Spheres of Justice* (1983) lautet, nicht als Gegensatz betrachtet. Allerdings erfordert diese Haltung nicht nur die Verabschiedung einer totalitären Gleichheitsauffassung aus der sozialistischen und kommunistischen Tradition, sondern auch eine bestimmte Interpretation der liberalen Tradition selbst, die nicht nur in der Geschichte europäischer Freiheitsbewegungen (siehe Norberto Bobbio, »Alter und neuer Liberalismus«, in: *Die Zukunft der Demokratie*, 1988), sondern insbesondere des amerikanischen politischen Gemeinwesens verkörpert ist.

Das Bild des Individuums, das in dieser linken Tradition des amerikanischen Liberalismus eine Rolle spielt, ist weder das eines vorgesellschaftlichen »Atoms« noch des einzig an der Maximierung seines Eigeninteresses orientierten Subjekts der neoklassischen ökonomischen Theorie – das als *rational fool* (Amartya K. Sen) keinerlei weitere gesellschaftlichen Bindungen und moralischen Verpflichtungen kennt. Ein solcher Liberalismus weiß vielmehr – in den Worten eines seiner historischen Vertreter, des Philosophen John Dewey, »daß ein Individuum nichts Festgelegtes ist, was gebrauchsfertig zur Verfügung steht. Es ist stets etwas Erreichtes, und zwar etwas, was nicht in der Isolation erreicht wurde, sondern mit der Hilfe und Unterstützung von Bedingungen – kultureller und psychischer Art, die in ›kulturellen‹, ökonomischen, rechtlichen und politischen Institutionen sowie in der Wissenschaft und Kunst zu finden sind« (John Dewey, »Die Zukunft des Liberalismus«, *The Journal of Philosophy*, 1932).

Individuum und *community* sind somit in dieser liberalen Tradition keine Gegensätze; im Gegenteil: gerade die Freiheitschancen des Individuums erfordern eine bestimmte Konzeption der politischen Gemeinschaft, die in den USA »zivilrepublikanisch« genannt wird. Es ist nicht das Gemeinwesen als Organismus, das dann in einer metaphysischen, »anthropomorphen« Auffassung als eine Art größeres Individuum verstanden würde (dessen bloße Teile dann die Individuen und ihre damit immer prekären Rechte darstellten), sondern das Gemeinwesen als Dimension und praktisches Resultat des gesellschaftlichen Handelns von Individuen (siehe Ronald Dworkin, »The liberal community«, *California Law Review*, 1990).

Sozialer, geselliger Liberalismus ging insofern stets einher mit einer »Kunst der Trennung« (Walzer), nicht allerdings der Abtrennung der Individuen vom Gemeinwesen, sondern der Auflösung von Monopolbildungen gesellschaftlicher und politischer Macht: Er kämpfte für die Errichtung von Grenzen zwischen Kirche und Staat, zwischen Wissenschaft und Religion, zwischen ziviler Gesellschaft und politischer Gemeinschaft, zwischen Wirtschaftshandeln und staatlicher Macht usw. Und erst ein solches Verständnis des Liberalismus als Kunst, Unterschiede zu akzeptieren, differente Sphären gesellschaftlichen Handelns (auch voreinander) zu schützen, macht es dann auch möglich, Gleichheit nicht als *simple equality,* auf deutsch als »Gleichmacherei« aufzufassen: nicht als totale Gleichheit aller Lebensverhältnisse, sondern als sozial ausgehandelte Regel der Verteilung von Lebenschancen in verschiedenen Gesellschaftssphären, die zumal in modernen Gesellschaften nicht mehr nach einem Raster beurteilt werden können. Solche »komplexe Gleichheit« als politische Zielvorstellung impliziert ebenso, daß die jeweilige »Eigenlogik« gesellschaftlich relevanter Verteilungssphären (Erziehung, Markt, politisches System, Verwaltung, Arbeitsteilung, Arbeits- und Freizeit usw.) ernstgenommen wird, diese also nicht über einen Kamm geschoren werden dürfen, wie sie umgekehrt fordert, zu verhindern, daß *ein* Element gesellschaftlicher Verteilung *alle* anderen sozialen Sphären beherrscht (siehe Walzers Buch *Spheres of Justice,* Kapitel 1).

Die liberale Tradition, für die Walzer einsteht, kann somit nur verstanden werden, »wenn man sie als ›Instrument‹ begreift, um den tyrannischen Gebrauch von Macht zu verhindern und zu bekämpfen« – und zwar von *jeder* Macht, also auch der des Marktes. In diesem Sinne wäre für Walzer eine reine Marktgesellschaft (in der die ökonomische Marktmacht *dominant,* d. h. das einzige und übergreifende Kriterium der Verteilung von ökonomischen, politischen, kulturellen Ressourcen ist), in der einzig die ökonomische Position eines Menschen über seinen Zugang zum Wahlrecht, zu Erziehung, zu Arbeit und Freizeit, zu Liebe und Zuwendung, sozialer Anerkennung, Sicherheit vor Krankheit und Not usw. entscheidet, ebenso »Tyrannei« wie die Herrschaft einer bürokratischen Nomenklatura (in welcher die Stellung in der Hierarchie der einzig relevante Verteilungsschlüssel ist) oder einer fundamentalistischen Theokratie (in der die Rechtgläubigkeit über Wohl und Wehe entscheidet). Ein solcher »Marktimperialismus« widerspräche den Idealen von Freiheit und Gleichheit ebenso wie ein totalitärer Sozialismus oder die gesellschaftsnormierende Diktatur einer Staatsreligion.

Die Alternative zur weltlichen Macht der Kirche ist nicht ein staatsverordneter Atheismus oder Wissenschaftsglauben, sondern die Gewissensfreiheit des Einzelnen, die Freiheit seiner Religionsausübung. Diese Religionsfreiheit des *Individuums* aber wäre ohne die Existenz freier, sich selbst verwaltender Religions*gemeinschaften* nichts wert. – Am Rande bemerkt: Eine der Gesellschaftskritiken Walzers (nicht an der Markt*wirtschaft* als solcher, wohl aber an ihrer heute vorherrschenden institutionellen Gestalt und *gesellschaftlichen* Machtverteilung) lautet darum, daß neben der privaten unternehmerischen Initiative die Chance zur Bildung von Formen kooperativen Eigentums – m. a. W.: die funktionale Analogie zur Freiheit religiöser Assoziation im ökonomischen Bereich – in den meisten gegenwärtigen Marktwirtschaften faktisch kaum besteht: »Ohne eine Revision dieser Eigentumsordnung und ohne die Möglichkeit zur Schaffung kooperativer Eigentumsformen tendiert vielmehr die Marktlogik dahin, die von der Kunst der Trennung errichteten Mauern zu zerstören« (siehe Michael Walzer, »Liberalism and the Art of Separation«, *Political Theory*, 1984).

3.

Die individuelle Freiheit als Forderung sich selbst verwaltender Religionsgemeinschaften steht auch Pate beim Dokument der »Bill of Rights« (1791), dessen Wurzeln nicht zuletzt in der Entstehungsgeschichte der amerikanischen Staaten – in der Flucht vieler Einwanderer vor religiöser Verfolgung – zu suchen sind. Für Walzer ist die Gewissens- und Religionsfreiheit von *communities*, weit mehr als das Eigentumsrecht, die Wurzel der amerikanischen Demokratie. »Das Eigentum gehört jemand einzelnem, das Gewissen aber jedermann; das Eigentum ist oligarchischen Typs, das Gewissen demokratisch – oder anarchisch. In unserer Geschichte wird darum ersteres immer auch letzteres ins Gedächtnis rufen« – sagte Walzer 1987 in einem Vortrag zur Zweihundertjahrfeier der US-amerikanischen Verfassung.

Es ist kein Zufall, daß sich Walzer gerade als Theoretiker des zivilen Ungehorsams und als Kritiker politischer wie ökonomischer Unterdrückung schon früh mit den religiösen Wurzeln der modernen Freiheitsbewegungen befaßt hat. Sein erstes Buch *The Revolution of the Saints* (1965) befaßte sich mit den messianischen Linksradikalen der englischen Revolution. Seine Studie über *Exodus und Revolution* (1985, dt.: 1988) dechiffrierte die Grammatik der modernen Freiheitsidee in einer ziemlich alten Geschichte aus dem zweiten Buch Mose: Es ist die Erzählung des Auszugs der Israeliten aus dem ägyptischen Hause der Knechtschaft; die Geschichte ihres Mühens und Murrens in der Wüste; die Überlieferung ihres Gesellschaftsvertrags, des immer wieder erzählten und erneuerten Bundes, in dem die *communities* der Stämme Israels sich zum freien Volk Israel verantwortlich handelnder *moral agents* konstituieren; und schließlich die Geschichte von den Gefahren eines Rückfalls in den Messianismus, vor denen jede Freiheitsbewegung auf ihrer Suche nach dem gelobten Land immer wieder stehen kann.

Die moderne Freiheit wurzelt in der Befreiung des Volkes Israel oder allgemeiner in der Heilsgeschichte judäo-christlicher Verheißung; und darin liegt für Michael Walzer – anders als materialistischer oder idealistischer Wissenschaftsglaube behauptet – ihre Stärke, nicht ihre Schwäche. Denn die Geschichte der Befreiung lebt – wie auch die Geschichte der Erfahrung von Unterdrückung – von erzählten Geschichten: von der Überlieferung und Uminterpretation von Bedeutungen. Was Freiheit des Einzelnen heißt, was es bedeutet, sein eigner Herr zu sein, läßt sich nicht jenseits der gesellschaftlich geteilten Bedeutungen von Ehre, Würde, Unabhängigkeit, von Solidarität und Unterdrückung bestimmen. Was wir selbst sind – und sein wollen –, hat seine Bedeutung nur durch Wertorientierungen, »die untrennbar mit uns als Handelnden verknüpft sind« (Charles Taylor). Und vielleicht die ersten solcher »starken Wertungen« (Taylor) finden wir in den exemplarischen Erzählungen des Buchs der Bücher.

Der Mensch vereinzelt sich nur in der Gesellschaft, wie schon Marx wußte. *Religio* – die Rückbindung des Einzelnen an die Gemeinschaft, in der er sich als Person anerkannt weiß (an einen sozialen Bedeutungshorizont, innerhalb dessen erst Individualität einen immer wieder von Interpretationen umkämpften Wert hat), ist es erst, die Selbständigkeit möglich macht: Wie ein anderer »kommunitärer« Philosoph, der Anglo-Kanadier Charles Taylor, in seinem letzten Buch *Sources of the Self* (1989) schreibt, stiften allein gesellschaftlich verkörperte »Gesprächsnetze« die »Rahmenbedingungen«, innerhalb derer menschliche Orientierung (auf das jeweils Sinnvolle, Gute) und damit individuelles Handeln *(human agency)* denkbar und verständlich ist. Menschen sind *self-interpretating animals*: sich selbst interpretierende Wesen – und sie interpretieren (sich), indem sie Geschichten erzählen. Auch die moralische Welt, die Welt der Rechtfertigung von Unterdrükkung und Befreiung, besteht aus Bedeutungen: im Erzählen und der Interpretation des Erzählten.

4.

Woher aber wissen wir eigentlich von Kriterien für eine bessere Gesellschaft, wie finden wir den Weg ins Reich der Freiheit, ins Gelobte Land? Woher kommt der Kompaß auf dem Marsch durch die Wüste – gibt es eine vorher festgelegte Landkarte? Dies ist das Thema des vorliegenden Buchs *Kritik und Gemeinsinn*, und zur Beantwortung dieser Fragen erzählt

Walzer eine philosophische Geschichte. Diese geht von der einfachen Wahrheit aus, daß jeder Kritiker – ob Prophet, Philosoph oder Revolutionär – stets von *irgendwo* aus sein Gemeinwesen beurteilt. Nicht wenige wurden ins Exil vertrieben; denn der Kritiker gilt nichts im eignen Lande. Beeinflußt dieses Exil – der Standort des Kritikers – den Denkort seiner Kritik? Walzer unterscheidet drei Wege der Sozialkritik:

Der »Pfad der Entdeckung« ist von göttlicher Offenbarung abhängig. Irgend jemand muß auf den Berg steigen oder sich in die Wüste zurückziehen, um dort für uns alle kraft göttlicher Offenbarung das Moralgesetz zu entdecken. Der Religionsstifter (oder seine Nachfolger oder diejenigen, die nach Jahrhunderten der Moralvergessenheit seine Botschaft »wiederentdecken«) kritisiert also seine Gesellschaft von außerhalb.

Oder ist der Ort der Kritik eine Insel der Vernunft? Konstruiert der Philosoph universale Standards der guten Ordnung im Niemandsland – jenseits der schlechten Wirklichkeit, die er mit seinen Zeitgenossen teilt? Auch der Philosoph entdeckt die moralische Welt, den Kritikmaßstab der wirklichen Welt, als ob er von außen käme. Er tut dies, indem er geistig aus seiner sozialen Position zurücktritt und einen »Blick von Nirgendwo« (Thomas Nagel) auf seine Gesellschaft und alle Gesellschaften überhaupt richtet. So entdeckt er das allgemeine Sittengesetz, die herrschaftsfreie Kommunikation, die Regeln des idealen Gesellschaftsvertrags. Dieser »Pfad der Erfindung« läßt sich auch als menschliche Nachahmung der göttlichen Schöpfung ansehen. Der philosophische Konstrukteur baut die moralische Wertordnung, die (weil sie ja von Gott kommt) vernünftig ist, nach vernünftigen Regeln nach.

Für Michael Walzer versprechen weder der Pfad der Erleuchtung noch die ideale Kommunikation aus reiner Vernunft noch gar die Gesetzestafeln des Weltgeists den rechten Maßstab für soziale Reform. Kritik auf dem »Pfade der Interpretation«, so Walzer, entsteht *innerhalb* der Gemeinde, aus gemeinem Unbehagen: der Prophet Amos kritisiert die geizigen Kaufleute von Bethel mit Hilfe des Gesetzes des Bundes Israel, und das Neue Forum sucht kein abstraktes Weltniveau, sondern entsteht mitten unter den Leuten, die sich auf dem Marktplatz, in der Kneipe, in der Warteschlange beklagen. Der »kommunitäre« Kritiker kritisiert seine politische, soziale, kulturelle *community* von innen, er formuliert eine neue Interpretation des Gemeinsinns: »Gesellschaftskritik« – so Walzer – »ist weniger ein praktischer Abkömmling wissenschaftlichen Wissens als vielmehr der gebildete Vetter des *common complaint,* der gemeinen Beschwerde.« Eine Kritik, die nicht ausgeht vom »common complaint«, muß nämlich im nachhinein immer erst in die Sprache des »common sense« *übersetzt* werden.

5.

Wir sind damit auch bei der zweiten, eher akademisch-fachphilosophischen Bedeutung des *communitarianism,* die allerdings in der bundesdeutschen Diskussion und Rezeption der neueren anglo-amerikanischen Philosophie noch kaum angelangt ist – im Unterschied übrigens zum erkenntnistheoretischen (Hilary Putnam) und zum postmodernen Pragmatismus (Richard Rorty), mit dem die »kommunitäre« Philosophie durchaus einige Motive *(back to the roots of american tradition)* und Argumente teilt.

Man versteht in der akademischen Philosophie unter den *communitarians* weniger eine »Schule« als eine Kritikdimension: Kritik an einem bestimmten (Selbst)Bild der Folgen der Aufklärung. Grob gesagt geht es um eine moralphilosophische Einstellung, die die individualistische Grundlegung moralischer Normen und ein individualistisches Verständnis von Gesellschaft und von sozialen Normen, wie sie für das rationalistische Selbstverständnis »der« (oder *einer* gewissen) Moderne charakteristisch war, einer methodischen und moralischen Kritik unterzieht. In diesem zweiten Sinne wird der *communitarianism* in der jüngeren philosophischen Diskussion als gemeinsamer Nenner für – im einzelnen sehr unterschiedlich ausgerichtete – politische und Sozialphilosophen verwandt: Alasdair McIntyre, Charles Taylor, Michael Sandel, Michael Walzer u. a.[1] Gemeinsam ist ihnen zunächst nur, daß sie sich in der kontinentalen (deutsch-französischen) Debatte zwischen »Moderne« und »Postmoderne« nicht einfach – auf einer der beiden Seiten – verorten lassen: Sie kritisieren zwar ein individualistisches und szientistisches Selbstverständnis bestimmter Traditionen der Moderne (und werden

1 An dieser Stelle sei eine etwas ausführlichere bibliographische Fußnote erlaubt: Alasdair McIntyre, *Der Verlust der Tugend. Zur moralischen Krise der Gegenwart.* Aus dem Englischen von Wolfgang Riehl, Frankfurt/M.–New York 1987; ders., *Whose Justice? Whose Responsability?*, London 1987; Charles Taylor, *Negative Freiheit? Zur Kritik des neuzeitlichen Individualismus.* Übersetzt von Herrmann Kocyba. Mit einem Nachwort von Axel Honneth, Frankfurt/M. 1988; ders., *Sources of the Self. The Making of Modern Identity,* Harvard 1989; Michael Sandel, *Liberalism and the Limits of Justice,* Cambridge 1982. Für die Arbeiten von Michael Walzer siehe das Verzeichnis seiner Veröffentlichungen am Ende dieses Buches. Zur Kritik am individualistischen Modell der herrschenden ökonomischen Theorie siehe Amartya K. Sen, »Rational Fools: A Critique of the Behavioral Foundations of Economic Theory«, in H. Harris (Hrsg.), *Scientific Models and Men,* London 1978. Für kritische Auseinandersetzungen mit den *communitarians* siehe Joshua Cohens Rezension von Walzers *Spheres of Justice,* in: *The Journal of Philosophy,* 1983; Sheyla Benhabib, »Autonomy, Modernity, and Community. Communitarianism and Critical Social Theory in Dialogue«, in: *Zwischenbetrachtungen. Im Prozeß der Aufklärung.* Jürgen Habermas zum 60. Geburtstag. Herausgegeben von A. Honneth, Th. McCarthy, C. Offe und A. Wellmer, Frankfurt/M. 1989; Axel Honneth, »Grenzen des Liberalismus. Zur politischen Ethik in den USA heute«, erscheint demnächst in der *Philosophischen Rundschau.*

von diesen darum umgekehrt gerne mit »altkonservativen« Aristotelikern in einen Topf geworfen). Sie tun dies jedoch aus einer Tradition solidarischer Normen heraus, der gerade die neuzeitliche Aufklärung sich ursprünglich verpflichtet wußte. Dies nicht zuletzt darum, weil die Emanzipationsidee der Aufklärung, wie insbesondere Charles Taylor zuletzt gezeigt hat, ohne die christliche Grammatik von »innerer Freiheit« und Gewißheit gar nicht verständlich wäre.

In ihrer Diagnose der Konstruktionsfehler der Aufklärungsphilosophie konzentrieren sich die *communitarians* auf die Fiktion des »atomistischen«, d. h. ursprünglich un- oder vorgesellschaftlichen Individuums, das auch die heute dominierenden Moralphilosophien bestimmt: sei es in der utilitaristischen Version eines rational kalkulierenden Bedürfnissubjekts; sei es in der kantianischen Variante eines a priori regelgeleiteten Vernunftsubjekts; sei es in der methodischen Fiktion eines ursprünglichen un- oder vorgesellschaftlichen »Naturzustands« aus der Tradition der angelsächsischen Vertragstheorie (wie sie im angelsächsischen Raum vor allem mit John Rawls' *Theorie der Gerechtigkeit* erneut einflußreich geworden ist). Die »kommunitäre« Suche nach philosophischen Alternativen zur methodischen Fiktion des isolierten, rationalen Vernunftsubjekts geht dann allerdings in recht verschiedene Richtungen, die hier nicht weiterverfolgt werden können.

Der »kommunitäre« Rekurs auf die ursprünglich soziale und kommunikative Dimension menschlichen Selbstverständnisses und Handelns stellt durchaus eine gewisse Parallele zur Gesellschaftstheorie Jürgen Habermas' dar, die ihre Dimension moralischer Kritik an den Fehlentwicklungen der Moderne aus den Regeln kommunikativen Handelns gewinnt. »Kommunitäre« und »kommunikative Ethik« unterscheiden sich jedoch – wie auch Walzer im ersten Kapitel dieses Buches hervorhebt – dadurch, daß erstere dem Glauben der letzteren daran, es könne eine und sei es nur methodische »Letztbegründung«, ein »objektives Moralbegründungsverfahren«, ein *design of a design procedure* zur Gewinnung moralischer Normen geben, mit einiger Skepsis gegenübersteht.

Selbst wenn es sie gäbe, selbst wenn sich also aus den Kämpfen um soziale Gerechtigkeit so etwas wie eine formale »Dimension der Gültigkeit« (Habermas) moralischer Normen methodisch isolieren – oder abstrahieren – ließe, scheint Walzer zu sagen, so wäre damit nicht mehr gewonnen als das, was wir schon aus den Erzählungen dieser Kämpfe kennen, aus dem Streit der Propheten vor dem Tempelschrein: *Unterdrücket die Armen nicht.* Ihre Kraft aber gewinnt Gesellschaftskritik stets nur als »interne Kritik«, d. h. vor dem Hintergrund einer gemeinsamen Geschichte, mit ihren vielfältigen Konflikten und Erwartungen – aus ihren »Gesprächsnetzen« von Legitimation und Protest. Ein allgemeines Prinzip der Gerechtigkeit ohne den Rekurs auf die im Rahmen des jeweiligen Gemeinwesens geteilten Bedeutungen und Bewertungen gesellschaftlicher Güter ist leer.

6.

Nun hat die Suche der zeitgenössischen Moralphilosophie nach einem »objektiven« *moral point of view,* also einem den Kontext des Verständnisses und der Wertehierarchie der jeweiligen politischen *community* und des je gesellschaftlich-geschichtlich besonderen »Imaginären« (Castoriadis) überschreitenden Kriterium für Gerechtigkeit und gutes Leben zwei durchaus verschiedene Wurzeln (oder Motive). Das eine Motiv liegt im Bestreben, das moralisch Richtige und das politisch angemessene Handeln nach Kriterien zu beurteilen, die – wenigstens dem methodischen Ideal nach – den Erfolgs- und Gewißheitskriterien des modernen wissenschaftlichen Wissens nachgebildet sind. Wenn wir *wissen* wollen, was moralisch richtig ist, so hat dies gewiß selbst eine Wurzel in unserer gesellschaftlichen Kommunikation; »denn wir haben das Bedürfnis, unsere Handlungen mit Gründen zu rechtfertigen, die (andere Menschen) vernünftigerweise nicht abweisen können« (Thomas Scanlon). Doch dieses Bestreben führt leicht auf den Irrweg, die gesuchten moralischen Normen mit dem methodischen Ideal der Wissenschaft (sei es dem der antiken *Theoria,* sei es dem moderner *Science*) zu verwechseln und damit den Streit um das Rechte und Unrechte ein für allemal beenden, überwinden, ausklammern zu wollen. Die *doxa* soll durch *episteme* überwunden, die nicht »kognitivistisch«, also am methodischen Ideal gesicherten Wissens geprüften *Meinungen* des Streits der Sophisten auf der Agora oder der Propheten vor dem Tempel sollen durch die *Erkenntnis* des Guten oder der Regel des Richtigen abgelöst werden. Wäre es dann nicht besser, den Bezugspunkt der jeweiligen Gemeinschaft von vorneherein zu verlassen und sich auf die Position des idealen Diskurses, des Nirgendwo – eines methodischen Abstands von *jeder* (also auch unserer) Gemeinschaft – zurückzuziehen?

Diese Suche nach einer objektiven Erkenntnis des Moralischen ist für Walzer eine Illusion. Man könnte seine Argumentation hier in Zusammenhang mit Hannah Arendts Kritik an aller politischer Philosophie seit Platon bringen, deren »Sündenfall« darin bestand, den öffentlichen Streit der Meinungen mit seinen stets prekären, umstrittenen und für Revision offenen Ergebnissen durch einen philosophischen Standort des objektiven Wissens zu ersetzen. Doch das Gute, um das es uns im Streite um das *common good* zu tun ist, ist nicht einfach eine allen Menschen objektiv gemeinsame Eigenschaft (die es dann zu erkennen gilt), sondern »something that we own in common«: ein Gut, das sich nur in gemeinsamem Handeln ergibt, das wir nur gemeinsam – im Streit um das Gemeinwesen – besitzen können. Die *public happiness,* die die Gründer der amerikanischen Demokratie anstrebten, ist für Hannah Arendt ein »Glück, das nur im öffentlichen Raum erfahren werden kann, den alle Bürger im Unterschied zu ihren Privatwohnungen gemeinsam *(in common)* bewohnen«. (H. Arendt, *Philosophy and Politics: What is Political Philosophy*, New School for Social Science, New York, Spring 1969.)

Neben dem rationalen Erkenntnis- und Wissenschaftsideal als Modell moralischer Kritik – gegen das Walzer überzeugende Argumente vorbringt – gibt es jedoch noch ein zweites Motiv, aufgrund dessen die »kommunitäre« Auffassung von moralischer Kritik auf Widerstand in der zeitgenössischen Philosophie stößt. Es ist dies ein Problem, für das die *communitarians* bisher noch keine überzeugenden Lösungen erkennen lassen. Walzer zeigt am Beispiel der Propheten des Alten Testaments wie an dem John Lockes oder Antonio Gramscis, daß *universalistische* Grundsätze ihren kritischen Gehalt nur innerhalb der »Gesprächsnetze« von Legitimation und Protest bestimmter »Nationen«, also historisch *spezifischer Gemeinschaften* gewinnen, deren partikularistische Grenzen sie in immanenter Kritik überschreiten: Gott hat nicht nur sein Volk Israel aus Ägyptenland geführt, sondern auch die Philister aus Kaphtor und die Syrer aus Kir, nicht nur Lockes Protestanten können sich auf Gewissensfreiheit berufen, und die sozialistische Bewegung konnte sich auf die liberalen Ideale von Freiheit und Gerechtigkeit berufen. Was aber ist mit den Staatenlosen, den keiner »Nation« Zugehörigen, den Flüchtlingen, den Exilanten, den *displaced persons*? Walzer selbst hat sich in seinem Buch *Spheres of Justice* ausführlich mit dem Problem der Zugehörigkeit zum politischen Gemeinwesen befaßt: Das Bürgerrecht, die Mitgliedschaft ist selbst ein primäres soziales Gut, das dann über die Zugangschancen bei der Verteilung anderer Güter entscheidet (siehe *Spheres of Justice*, Kapitel 2 »Membership«). Doch nach welchen Kriterien soll diese Mitgliedschaft den neu um Aufnahme ersuchenden Fremden gewährt oder versagt werden? Danach, ob sie zu unserer »moral community«, zu den Werten unserer Tradition passen oder nicht? Bleibt für die Fremden, die Staatenlosen, die Einwanderer nur eine Art Minimalcode des internationalen Rechts übrig, den (wie Walzer zeigt) bereits die Propheten Israels kannten?

Und weiter: Was geschieht mit »interner« Gesellschaftskritik in einer Welt, deren *communities* immer unweigerlicher (ob sie wollen oder nicht) durcheinandergeworfen werden, in der schon der demographische Druck aus dem Süden und Osten die linke und liberale Tradition des Westens vor Probleme stellt, die in ihrer Tradition nicht vorgesehen sind? Kurz: Wird die multiethnische, religiös pluralistische Gesellschaft, die multikulturelle Welt in ihren Konflikten ohne eine universalistische Ethik auskommen können? Und kann eine solche nur aus dem Bezugsrahmen *unserer* Tradition, aus den Gesprächsnetzen unserer sozial- und liberaldemokratischen, menschenrechtlichen Gesellschafts- und Freiheitsbewegungen entstehen?

Was Walzer an den vorliegenden Versionen universalistischer Ethik (Rawls, Habermas usw.) nicht gefällt, ist ihre mangelnde »Verkörperung« in sozialen Praktiken, die jeweils Praktiken und Konflikte ganz bestimmter Gemeinschaften sind: ein davon »abgehobener« *moral point of view* nehme sich aus wie ein Hotelzimmer, dessen minimale Erfordernisse von fließendem Wasser bis zu sauberer Wäsche man zwar angeben kann, in dem sich jedoch (mit Ausnahme von Franz Kafka) niemand zu Hause fühlen mag. Rawlsianer (z. B. Joshua Cohen) oder hierzulande Habermasianer würden umgekehrt den *communitarians* das Fehlen »kontextübergreifender Kriterien, um zwischen moralisch vertretbaren und moralisch kritisierbaren Konzeptionen des gemeinschaftlich Guten begründet zu unterscheiden«, vorwerfen (Axel Honneth).

Dieser Streit, die philosophische Variante des Konflikts zwischen »weltbürgerlichem« Universalismus und »kommunitärem« Gemeinsinn, kann und soll hier nicht geschlichtet werden – er gehört vielmehr selbst zur Geschichte *unserer* moralischen Tradition, zu den Geschichten, die sie als Tradition des Kampfs um gleiche Freiheit und Geschwisterlichkeit konstituieren. Der Streit sollte vielmehr weitergehen – bzw. in der deutschen philosophischen Debatte überhaupt erst beginnen. Er sollte aber zum »Gespräch über durch Ethnizität, Religion, Klasse, Geschlecht, Sprache, Rasse gezogene gesellschaftliche Grenzen hinweg« erweitert werden, wie dies Michael Walzers Kollege am Institute for Advanced Studies, der Anthropologe Clifford Geertz, formuliert hat: Der nächste notwendige Schritt in diesem Streit sei gerade nicht »die Konstruktion einer universellen esperanto-artigen Kultur, der Kultur der Flughäfen und Motels. (...) Er besteht in der Erweiterung der Möglichkeit eines intelligiblen Diskurses zwischen Menschen, die voneinander in ihren Interessen und Ansichten, in Reichtum und Macht ganz verschieden und doch in einer Welt beheimatet sind, in der es, so wie sie nun einmal in endlose Verbindung geschleudert sind, zunehmend schwierig ist, sich aus dem Wege zu gehen« (C. Geertz, *Die künstlichen Wilden*, München 1990, S. 142).

Über den Autor

Michael Walzer, 1937 in New York geboren, ist »einer der brillantesten Vertreter einer neuen Generation amerikanischer politischer Philosophie« *(Times Literary Supplement)* und gilt heute als einer der bedeutendsten Theoretiker einer undogmatischen intellektuellen Linken in den USA.

Nach seiner Tätigkeit als Professor für Sozialwissenschaften an den Universitäten Princeton und Harvard lehrt Michael Walzer seit 1980 am Institute for Advanced Study (School of Social Science) in Princeton, New Jersey. Er ist Herausgeber der Zeitschrift *Dissent*, Mitherausgeber von *Philosophy and Public Affairs, Political Theory* und *The New Republic* sowie Mitglied des International Affairs Committee und des American Jewish Congress. Er ist verheiratet mit Judith Borodovko Walzer und hat zwei Töchter.

Veröffentlichungen von Michael Walzer

The Revolution of the Saints. A Study in the Origins of Radical Politics, Harvard University Press, 1965.

Obligations. Essays on Disobedience, War and Citizenship, Harvard University Press, 1970.

Political Action, Quadrangle Books, 1971.

Regicide and Revolution, Cambridge University Press, 1974.

Just and Unjust Wars, Basic Books 1977. (dt.: *Gibt es einen Gerechten Krieg?*, Klett-Cotta Verlag, Stuttgart 1983.)

Radical Principles, Basic Books, 1980.

Spheres of Justice. A Defence of Pluralism and Equality, Basic Books, 1983. (Eine dt. Übersetzung erscheint 1991 in der Reihe »Theorie und Gesellschaft«, Campus-Verlag, Frankfurt/M.–New York.)

Exodus and Revolution, Basic Books, 1985.
(dt.: *Exodus und Revolution*, Rotbuch Rationen, Berlin 1988.)

Interpretation and Social Criticism, Harvard University Press, 1987.

The Company of Critics, Basic Books, 1988.

Zahlreiche Veröffentlichungen in Zeitschriften und Sammelbänden.